BRIAN MAYNE

Le Goal mapping

Tracez le meilleur itinéraire pour atteindre vos buts

Publié précédemment au Royaume-Uni
sous le titre Goal mapping par Watkins Publishing.

Traduction : Mélanie Caillierez
Révision : Jérôme Mailloux-Garneau
Conception graphique et mise en pages : Interscript
Conception de la couverture : Cyclone Design

Imprimé au Canada

ISBN-10 : 2-923351-50-9
ISBN-13 : 978-2-923351-50-6

Dépôt légal – Bibliothèque et Archives nationales du Québec, 2007

Visitez le site des Éditions Caractère
www.editionscaractere.com

À mon père, l'incarnation même de l'esprit positif,
de la vision et des objectifs.
Dans les mots de Clarence Budington Kelland :
« Mon père ne m'a pas dit comment vivre.
Il a vécu, et m'a laissé le regarder. »

Quelle que soit la chose que vous pouvez faire
ou rêvez de faire, commencez-la. L'audace a du génie,
de la puissance et de la magie. Lancez-vous, et l'esprit
s'échauffera. Continuez, et le travail s'accomplira.

GOETHE

Remerciements

Je tiens à remercier tous ceux qui, au fil des ans, m'ont aidé dans mon parcours, notamment les professeurs et les étudiants, dont je ne pourrais mentionner tous les noms, mais j'adresse un remerciement particulier à ma mère pour son soutien aimant pendant les jours les plus sombres de ma vie.

Préface

Les informations contenues dans ces pages ont aidé des milliers de gens à améliorer leur vie et à réaliser leurs rêves, mais la chose la plus étonnante à propos de ce livre, c'est que je sois parvenu à l'écrire intégralement, par moi-même. En effet, jusqu'à l'âge de vingt-neuf ans, je ne pouvais ni lire ni écrire correctement. Or, grâce à de curieux concours de circonstances, j'ai découvert quelque chose qui a changé chaque aspect de ma vie.

Permettez-moi de vous faire partager mon histoire. Je suis né dans une famille de forains, et durant mon enfance, nous avions trois « maisons » : l'île de Wight, où mon père travaillait l'été, la caravane qui nous permettait d'aller d'une fête foraine à l'autre, et l'endroit où nous installions la caravane pour l'hiver, tout près de l'aéroport de Heathrow.

Trois « maisons », cela signifiait trois groupes d'amis, trois perspectives de la vie et deux (voire parfois trois) écoles. Or, étant donné les périodes où nous quittions un endroit pour un autre, j'arrivais souvent dans une nouvelle école en plein milieu des *examens blancs*. Généralement, les professeurs trouvaient qu'il était injuste que je passe les examens alors que je n'avais pas assisté aux cours. Et comme je ne restais que quelques mois avant de repartir, je me retrouvais invariablement dans une classe temporaire, c'est-à-dire dans une classe où, le plus souvent, on nous enseignait le travail des métaux ou du bois. Ainsi, je cumulais souvent jusqu'à quinze périodes de travail des métaux ou du bois, par semaine ; j'étais devenu plutôt « bon » dans ces choses-là, mais je ne progressais pas dans les autres matières telles que la lecture, l'écriture et l'arithmétique. D'autant plus que je suis dyslexique et que je trouvais l'orthographe particulièrement difficile. Certains professeurs ont vraiment fait des efforts, et mes parents m'ont payé des cours particuliers, mais il n'y avait rien à faire.

Vers quatorze ans, j'avais pris beaucoup de retard par rapport aux autres élèves, et à force d'insister auprès de mon père, ce dernier m'a autorisé à quitter l'école. À l'époque, il était dans la norme que les enfants de « forains » quittent l'école relativement tôt, et l'attitude générale était la suivante : « Si tu sais lire et écrire un peu, et si tu sais combien de haricots font cinq, ça suffit. » Il était temps d'apprendre la vie.

Je trouvais fantastique de travailler avec mon père plutôt que d'aller à l'école, et c'était vrai à certains égards, mais c'était aussi plutôt idiot. Il y a un proverbe qui dit : « Si tu ne t'en sers pas, tu le perds. » Je n'avais déjà pas de grandes capacités pour la lecture et l'écriture ; donc, lorsque j'ai quitté l'école et que j'ai cessé d'exercer le peu de compétences que j'avais, j'ai tout oublié, tout désappris. À dix-huit ans, mes capacités de lecture et d'écriture étaient si limitées que j'avais du mal à remplir des formulaires, à envoyer une carte postale ou à faire un chèque sans aide. Toutefois, j'avais décidé que ce ne serait pas un frein à ma vie quotidienne, et j'ai cherché à renforcer la réussite de mon père en agrandissant l'entreprise familiale. À dix-neuf ans, je suis devenu l'un des plus jeunes patrons du pays lorsque j'ai ouvert une discothèque. J'ai développé cette affaire avec mon frère George. Cela a très bien marché, et j'ai évolué dans le milieu des clubs pendant douze ans.

Puis, au début des années 90, les choses ont changé de façon spectaculaire. Les discothèques ont fait place à la culture des *raves*, l'économie britannique est entrée en récession, et j'ai pris de mauvaises décisions. En très peu de temps, j'ai tout perdu : mon affaire, ma maison, la plupart de mes biens, et mon couple s'est brisé. Je suis retourné vivre chez mes parents, j'ai « souscrit » à l'aide sociale, et l'entreprise familiale a été placée en redressement judiciaire avec une dette frôlant le million de livres sterling. Ç'a été une dure épreuve ; je suis entré en dépression et je ne voyais pas d'issue. Ma famille était ruinée et mes parents étaient menacés d'expulsion. Je n'avais ni diplôme ni réelle expérience de travail, bref, je n'avais rien de « substantiel » à mettre sur mon curriculum vitæ.

Mais avec le recul, je considère cette période comme étant une chance. Pour arrondir mes fins de mois, je me suis joint à un organisme de vente; là, j'ai rencontré un homme qui m'a aidé à changer ma vie. Il s'appelait Mike Rosewarne et donnait des cours de développement personnel. Son message était simple: «Si tu penses que tu le peux, tu le peux; si tu penses que tu ne le peux pas, tu ne le peux pas – et dans les deux cas, tu as raison.»

J'avais déjà entendu ce proverbe à plusieurs reprises, et vous aussi, probablement. C'est une vieille vérité. Mais cette fois, je l'ai entendue alors que je cherchais des réponses et je l'ai donc écoutée en étant ouvert d'esprit. Je me suis senti profondément inspiré et grandi par cette idée que je pouvais changer ma vie en raisonnant différemment. La grande différence, c'est que Mike ajoutait à cette déclaration une substance scientifique qui était tout à fait logique et qui lui conférait un réel pouvoir.

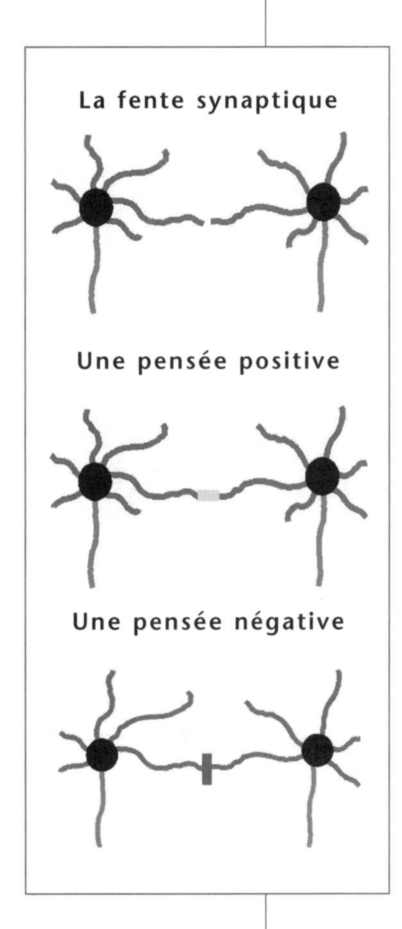

J'ai appris que chaque individu a des milliards de neurones pourvus de bras qu'on appelle des *dendrites*. Chaque dendrite est séparée par un petit espace qu'on appelle la *fente synaptique*. Quand vous avez une pensée, vous provoquez un influx nerveux au centre du neurone (le *noyau*) qui passe par chacune des dendrites, cherchant à établir un contact avec les autres dendrites, de sorte que l'idée se répande pour former un schéma de compréhension ou un fil de pensée.

Si votre pensée est positive – qu'elle soit en rapport avec vous, votre vie ou votre situation – l'influx positif provoque la libération d'une substance chimique, que l'on appelle *sérotonine*, au bout du «bras» de la dendrite. La sérotonine est la substance qui donne la sensation de bonheur et de bien-être; elle agit également comme *conducteur* et comble la fente synaptique, permettant à votre pensée de poursuivre sa trajectoire.

Si en revanche votre pensée est négative, cela provoque la libération d'une autre substance chimique, la *cortisone*, qui suscite un sentiment de tristesse et de dépression. La cortisone agit également comme un isolant, en bloquant ou en limitant la libre circulation de pensées et d'idées.

Penser « Je peux » libère des substances chimiques et établit des connexions entre les neurones qui produisent une « synergie de pensée » et la naissance d'idées ou de réponses. Penser « Je ne peux pas » bloque la libre circulation de pensée, ce qui a pour unique résultat de voir davantage de problèmes et de raisons de tout laisser tomber.

Après une légère hésitation et un peu de résistance de l'ego, parce que le concept me paraissait simpliste, j'ai conclu une entente avec moi-même, celle de commencer à penser « Je peux » dans tous les aspects de ma vie. Je me suis davantage concentré sur mon objectif principal : la conviction que je pouvais surmonter la dyslexie et apprendre à lire et à écrire correctement. Cela m'a pris un an.

Je ne suis pas retourné à l'école pour atteindre cet objectif et je n'ai pas suivi de cours du soir non plus. La véritable clé de ma réussite consistait à acquérir la conviction que je pouvais le faire ainsi qu'à me pratiquer à écrire et à lire dès que j'en avais l'occasion. Peu à peu, les mots sont devenus clairs. En dix-huit mois, je me suis enseigné à moi-même la lecture rapide.

Le changement a été radical. Il est difficile de décrire combien il était merveilleux de découvrir que je pouvais *apprendre*, et ce, à un âge qui semblait être très tardif. Cela m'a donné de l'espoir pour l'avenir et cela a été un baume à mon amour-propre. Même lorsque la discothèque marchait vraiment bien, je m'étais toujours senti inférieur aux autres. Je pensais que le fait de ne savoir ni lire ni écrire correctement me diminuait par rapport aux autres ; qu'ils étaient mieux que moi.

Or, acquérir cette capacité, c'était comme si on me donnait la clé qui me permettait de sortir de prison. J'ai développé une passion pour la lecture, une soif de connaissance, et je lisais au moins un livre par semaine. J'étais tellement reconnaissant de ce nouveau don de lecture et d'écriture que j'avais décidé de concentrer

mes lectures dans le domaine qui m'avait le plus aidé: le développement personnel et l'autoamélioration. Je suis devenu fasciné par le cerveau et l'esprit, et par la façon dont on peut les aider à se développer pour optimiser notre potentiel.

Tout ce que j'ai appris, je l'ai d'abord appliqué à moi-même, puis je l'ai partagé à mes amis. Ma vie a alors commencé à décoller dans tous les domaines. C'est dans le domaine professionnel que les progrès étaient le plus visibles; mes performances ont progressé en flèche. Beaucoup de gens voulaient savoir ce que je faisais pour me distinguer, et je me suis donc retrouvé à faire de plus en plus de conférences.

À ce stade, il ne restait qu'une petite étape à franchir pour diriger des «programmes de leadership personnel» réguliers, dans lesquels je pouvais partager les idées qui avaient changé tant de choses dans ma vie. Je voulais notamment partager la technique étonnante qui pouvait aider les gens à insuffler de la magie dans leur vie: le Goal mapping.

Je partage maintenant cette méthode efficace visant à réaliser ses rêves et ses ambitions avec des dizaines de milliers de gens dans le monde entier, les écoles, les entreprises et auprès du grand public.

Et c'est avec grand plaisir que je partage avec vous le Goal mapping et les Principes de la réussite. Que cet ouvrage vous aide à accomplir ce que vous désirez réellement.

Je vous souhaite de l'amour, de la lumière et du rire.

Brian Mayne

Introduction

Apprenez à diriger vos meilleures intentions vers ce que vous voulez être et ce que vous voulez accomplir, dans tous les aspects de votre vie, et le monde sera à vous.

Nous sommes tous des maîtres nés d'imagination et de création. Chacun de nous est constamment en train d'évoquer des pensées ou de créer quelque chose. Parfois, nous manifestons les choses que nous désirons ; parfois, celles que nous redoutons. Parfois, nous créons consciemment ; parfois, inconsciemment. Mais nous créons toujours quelque chose.

La clé de la réussite personnelle et la voie du bonheur authentique et durable, c'est l'acquisition de la capacité d'adopter et de maintenir une pensée positive quant à votre intention (volonté), de manière à développer vos désirs conscients plutôt que vos peurs inconscientes.

> **L'Univers n'a d'autre choix que de vous apporter la manifestation directe de votre pensée.**
> **NEALE DONALD WALSCH**

Dans chaque génération et dans chaque culture, il y a toujours une minorité de gens qui a compris et qui applique les principes naturels de création pour manifester ses désirs. Tout livre sur la réussite de n'importe quelle région du monde contiendra toujours une section sur l'importance de se fixer des objectifs, d'esquisser des intentions, et ce, quant à la manifestation consciente ou son équivalent. Ces principes remontent à la nuit des temps.

Si cette sagesse intemporelle sur la façon de transformer *des pensées en choses* n'a jamais été un secret, elle est par nature *cachée* ou obscurcie par notre vision quotidienne, et doit donc être cherchée et révélée à chaque personne qui s'efforce de réussir.

Les aspects des choses les plus importantes pour nous nous sont cachés en vertu de leur simplicité et de leur familiarité.
LUDWIG WITTGENSTEIN

Deux Indiens, des saints, observaient un bazar débordant d'activité. L'un se tourna vers l'autre et lui dit: « Regarde-les, ils ont tous des roupies dans leur ballot. Or ils ignorent comment en défaire le nœud et sont donc indigents. »

Pour ma part, l'une des plus grandes prises de conscience de ma vie s'est produite lorsque j'avais presque tout perdu: je me suis rendu compte qu'à l'instar de la plupart des gens, j'avais déjà *réussi* au-delà de toute espérance. Tout ce que j'avais à faire, c'était de trouver la combinaison mentale et émotionnelle qui me permettrait de libérer mon potentiel, et de cette façon, de créer davantage de ce que je voulais consciemment et moins de ce que je ne voulais pas.

La nature de la réussite

L'univers et tout ce qu'il comporte est une réussite, et VOUS en faites partie.

Si nous faisions toutes les choses que nous sommes capables de faire, nous serions abasourdis d'étonnement.
THOMAS EDISON

La *réussite* est le résultat naturel des lois et des principes qui gouvernent le processus de création. La vie en elle-même est une réussite, et la plus grande réussite de toutes est probablement le déploiement continu de l'univers, où toute entité vivante peut être jugée « gagnante ».

En tant qu'êtres humains, on a moins tendance à définir la réussite en fonction de notre vie ou de notre existence physique, que tant de gens considèrent comme une évidence, qu'en fonction de la réalisation de nos désirs ou de nos souhaits individuels et matériels, à savoir les choses spécifiques que nous voulons.

Demandez, et l'on vous donnera. Cherchez, et vous trouverez. Frappez, et l'on vous ouvrira.
MATTHIEU 7:7

Que signifie « réussir » pour vous ? S'agit-il de réussir financièrement, d'avoir une carrière épanouissante, une belle maison, une voiture, un bateau, ou de vous offrir des vacances de rêve ? Ou encore d'avoir une famille formidable, des amis chers ou une relation amoureuse ? Peut-être s'agit-il d'être tenu en haute estime par des amis, de la famille, des collègues. La réussite signifie différentes choses pour différentes personnes à différents moments, et il y a probablement autant de définitions de la réussite qu'il y a d'individus qui veulent réussir.

Selon moi, la réussite véritable dépend de l'équilibre entre trois valeurs fondamentales : le bonheur, la paix de l'esprit et l'expérience de l'abondance. Après tout, ce à quoi chacun aspire au bout du compte, c'est le bonheur, la paix et la profusion, quel que soit son parcours personnel.

L'abondance ou la profusion, à l'instar de la réussite, dépend de chaque personne. Essentiellement, cela veut simplement dire que vous avez « suffisamment ». Ce qui est suffisant pour moi ne le sera peut-être pas pour vous, et vice versa, mais tant que vous avez suffisamment, vous n'êtes pas dans le besoin.

Vous n'êtes pas obligé d'être riche pour connaître l'abondance. Il ne s'agit pas tant d'une quantité physique que d'une perspective mentale. Certains de mes amis sembleraient sur le papier avoir fort peu, si on totalise leurs richesses matérielles, mais ils ont suffisamment pour la façon dont ils ont choisi de vivre leur vie ; ils ont aussi la paix de l'esprit et le bonheur. Selon moi, ce sont des personnes qui ont réussi.

En revanche, d'autres personnes ont des richesses fabuleuses, mais sont désespérément malheureuses, et leur réussite matérielle signifie bien peu de choses. Quoi que vous accomplissiez dans la vie, sans le bonheur et un sentiment de paix, cela perdra vite de sa saveur et deviendra peu satisfaisant. Être heureux, comme avoir la paix de l'esprit ou l'abondance, est une qualité qui doit être étudiée, apprise, travaillée et maîtrisée.

Le bonheur n'est pas un accident. Ce n'est pas non plus quelque chose que vous pouvez espérer. Le bonheur est quelque chose que vous planifiez.

JIM ROHN

Celui qui en sait beaucoup sur les autres est peut-être instruit, mais celui qui se comprend lui-même est plus intelligent. Celui qui dirige les autres est peut-être puissant, mais celui qui sait se maîtriser a encore plus de pouvoir.

LAO-TSEU

La réussite est voulue

La réussite durable n'est jamais un accident, elle est voulue. Elle est le résultat d'actions et de pensées fructueuses.

J'ai souvent entendu dire que les gens connaissant la réussite, le bonheur, la paix et l'abondance véritables et durables ont eu de la chance d'une façon ou d'une autre : ils sont nés dans la bonne famille, ont pris un bon départ, ont reçu une bonne éducation, ont établi des contacts qui les ont conduits à un bon emploi ou à une bonne carrière. Bien que les éléments susmentionnés puissent représenter un avantage considérable, on trouve néanmoins de grands personnages qui avaient pourtant connu le pire départ possible, si l'on regarde l'histoire :

> **La richesse est le produit de la capacité de penser que possède l'homme.**
> AYN RAND

> **La plupart des gens cherchent haut et loin les clés de la réussite. Si seulement ils savaient que la clé de leurs rêves réside justement en ces rêves.**
> GEORGE WASHINGTON CARVER

- Abraham Lincoln est né dans la plus grande misère et n'est allé à l'école que durant trois mois, dans toute sa vie. Il a surmonté des défis énormes pour devenir l'un des plus grands présidents d'Amérique.
- Thomas Edison a été l'inventeur le plus prolifique du XXe siècle. Lui aussi, il n'est allé que trois mois à l'école et n'a reçu aucune formation scientifique, ce qui ne l'a pas empêché de faire breveter plus de 1 200 inventions.
- Anita Roddick, fondatrice de Body Shop, la fameuse chaîne de produits esthétiques pour le corps, a dû emprunter à des amis pour lancer son entreprise qu'on évalue, aujourd'hui, à des dizaines de millions de livres sterling.

Il y a des milliers voire des millions de gens qui ne partent de rien et qui, grâce à de fermes intentions et de réels efforts, créent quelque chose. En revanche, lisez le journal, regardez la télévision ou écoutez la radio, et vous découvrirez aussi la dernière histoire de quelqu'un qui est né dans un milieu privilégié, qui a débuté avec tous les avantages financiers et matériels, mais qui n'a pas su apprendre les leçons fondamentales de la réussite et qui, au bout du compte, a échoué.

> **La plus grande découverte de notre génération, c'est que les êtres humains peuvent transformer leur vie en modifiant leur état d'esprit.**
> WILLIAM JAMES

Tout cela nous dit que la réussite n'est pas un accident et qu'elle n'est donc pas sans raison. La réussite est *voulue*. Beaucoup de gens affirment qu'il y a une grande part de chance dans la réussite, par exemple gagner à la loterie, mais la chance est liée à la réussite momentanée, tandis que la réussite véritable n'est pas instantanée, voire statique, mais est plutôt en devenir, c'est-à-dire en constant mouvement, comme une rivière. Si le gagnant de la loterie n'apprend pas les leçons de la réussite, il sera vite départi de ses gains. Il y a un nombre considérable de gens qui ont un coup de chance, mais qui n'apprennent pas les leçons de la réussite, et qui se retrouvent moins bien lotis qu'avant.

Ce qu'il faut comprendre à propos de la réussite, et ce que je trouve si inspirant, c'est que la réussite durable a lieu grâce à une raison précise. Cela signifierait donc qu'il y a bel et bien une formule qui peut être étudiée, apprise, répétée et appréciée par quiconque désire réellement accomplir quelque chose.

Les lois de la réussite

Apprendre les lois naturelles de la création
et vivre en harmonie avec celles-ci,
c'est trouver la combinaison qui ouvrira
le coffre au trésor de votre potentiel.

> **Le processus de création commence par la pensée – une idée, une conception, une visualisation. Tout ce que vous voyez a été un jour l'idée de quelqu'un. Il n'y a rien d'existant en ce monde qui n'a pas d'abord existé en tant que pensée pure.**
> NEALE DONALD WALSCH

Nous vivons dans un monde physique qui est régi par des lois fondamentales, telles que la loi de la gravité et celle du mouvement. Mais la loi maîtresse est certes la loi de la causalité, c'est-à-dire la loi de cause à effet, qui stipule simplement qu'il n'y a pas de hasards. Ainsi, les choses qui se produisent dans le monde sont les *effets* qui sont créés ou déclenchés par des *causes* spécifiques, voire nécessaires.

La *loi de cause à effet* appliquée à notre vie dicte que les situations que nous vivons, les *effets*, sont le plus souvent *causées* ou influencées par nos actions et notre comportement. Si l'on continue de remonter cette chaîne jusqu'à sa *cause* première, ces effets sont alors déterminés par nos pensées.

D'où que les personnes qui réussissent ont des pensées fructueuses. Cela signifie qu'ils mettent constamment en branle des *causes* fructueuses qui, à l'instar des graines, se transforment en *effets* ou en résultats fructueux, que ce soit dans leurs relations, leur carrière ou leur vie en général. Les personnes qui réussissent réfléchissent à leur réussite. Ainsi, ils développent un état d'esprit de réussite dans lequel même l'échec fait partie intégrante du processus de réussite à long terme.

Quand Thomas Edison essayait de perfectionner l'ampoule électrique, il était déjà célèbre pour d'autres inventions. Un jour, un journaliste est venu l'interviewer et lui a fait remarquer : « M. Edison, vous avez échoué 5 000 fois dans vos tentatives d'inventer la lumière électrique. N'allez-vous pas renoncer à cette folie ? » Edison a répondu : « Jeune homme, vous ne comprenez pas comment fonctionne le monde. Je n'ai pas échoué 5 000 fois. J'ai identifié avec succès 5 000 façons qui ne sont pas viables, ce qui me rend 5 000 fois plus près de la bonne façon. » Il aura fallu plus de 10 000 expériences à Thomas Edison pour créer le filament de carbone constituant, encore aujourd'hui, la base de l'industrie de l'éclairage actuelle.

> **Je ne me décourage pas, car toute tentative infructueuse qu'on laisse derrière soi constitue un autre pas en avant.**
>
> THOMAS EDISON

Manquer de réussir

Tout le monde connaît l'échec à un moment ou l'autre, surtout les gens qui réussissent.

L'une des grandes différences entre les personnes qui réussissent et celles qui ne réussissent pas, c'est que les personnes qui réussissent ont appris une grande leçon de vie et ne considèrent pas l'échec comme une impasse négative qui les coupe dans leur élan, mais comme un apprentissage, voire un « panneau indicateur » qui leur donne la bonne direction à suivre.

Dans la vie, il y a des choses qu'on ne peut apprendre à bien faire qu'en les faisant d'abord mal. C'est l'une des stratégies d'apprentissage dont nous sommes tous dotés à la naissance : l'apprentissage « par essais et par erreurs ». Durant les mois où j'ai observé ma fille qui apprenait à marcher, elle est souvent tombée en essayant, mais à aucun moment elle n'a semblé considérer ses chutes comme étant des échecs et jamais elle n'a abandonné. Elle comprenait, dans son subconscient, que tomber faisait partie du processus de maîtrise de la marche.

En tant qu'adultes, nous avons tendance à perdre de vue cette leçon importante et à nous laisser submerger par nos émotions négatives, et parfois même à développer une peur de l'échec. Du point de vue de la majorité, l'échec est négatif sinon mauvais et, en quelque sorte, ferait de nous une mauvaise personne.

J'ai remarqué, chez moi, cette peur de l'échec à l'âge de dix-sept ans, alors que je me préparais à subir mon examen en vue de l'obtention de mon permis de conduire. La veille de mon examen, j'ai dit à tous mes amis que je les emmènerais faire un tour en voiture le lendemain. Mais je n'ai pas eu mon permis, et j'ai dû affronter leurs railleries au sujet de mon échec. La deuxième fois que j'ai passé mon permis, j'ai fait exactement la même chose : j'ai dit à mes amis que je passerais les prendre en voiture plus tard, mais j'ai encore raté mon permis. Ils ont ri de moi d'autant plus fort, et ma douleur émotionnelle était, elle aussi, d'autant plus grande. La troisième fois que j'ai passé mon permis, je ne l'ai dit à personne, parce que je ne voulais pas revivre la douleur d'avoir l'impression d'être un raté et la douleur de me sentir ridicule.

L'échec est, en quelque sorte, la voie de la réussite.
JOHN KEATS

C'est en forgeant que l'on devient forgeron.
PROVERBE

On ne mesure pas la réussite en fonction de la difficulté du problème à résoudre, mais plutôt en se demandant s'il s'agit du même problème que l'année dernière…
JOHN FOSTER DULLES

L'échec, c'est quelques erreurs de jugement, répétées chaque jour.
JIM ROHN

J'ai eu mon permis la troisième fois, et avec le recul, je peux voir que l'expérience acquise de mes deux « échecs » m'a aidé, en fin de compte, à réussir à la troisième tentative.

Souvent, le stigmate de l'échec est si fort qu'il pousse les gens à imputer cet échec aux contingences de la situation plutôt qu'à se regarder en face et à accepter qu'ils auraient pu faire les choses autrement. Cela les empêche d'avoir une vision claire d'eux-mêmes et de leur expérience, et d'en tirer quelque chose ; cela peut même les amener à répéter les mêmes erreurs plus tard.

D'une manière générale, les gens essaient quelque chose et si ce n'est pas concluant, ils essaieront peut-être une seconde fois. Ils sont toutefois peu nombreux à essayer une troisième fois, et la plupart n'en parlent à personne au cas où ils échoueraient. En général, les gens deviennent désabusés ou distraits par ce qu'ils perçoivent comme étant des restrictions et des revers. Souvent, ils mettent longtemps à tirer leçon d'une défaite, à recouvrer leur motivation et à se concentrer de nouveau sur la direction qu'ils souhaitent prendre. Multipliez ce processus de lente évolution par le nombre de leçons à apprendre pour réussir dans la vie, et la durée de ce processus devient alors énorme.

Un vieux proverbe dit : « Vieux trop tôt, intelligent trop tard. » Le temps que la plupart des gens comprennent comment mener leur vie avec succès, ils ont l'impression que la vie leur file entre les doigts. Certains deviennent si paralysés par la peur de l'échec que cela les empêche d'entreprendre quoi que ce soit de nouveau. Ces personnes se confortent peu à peu dans une crainte généralisée et des cycles de justification toujours plus restreints.

On n'échoue pas lorsqu'on tombe, mais lorsqu'on refuse de se relever.
ANON

Si jeunesse savait et si vieillesse pouvait.
HENRI ESTIENNE

En revanche, les personnes qui réussissent vraiment, si elles ne réussissent pas à chaque tentative, considèrent tout échec comme une leçon à retenir, un défaut à corriger ou une embûche à éviter à l'avenir. L'échec n'est ni négatif ni permanent aux yeux d'une personne qui réussit ; il lui fournit des informations précieuses qui l'orientent vers la réussite. Tant que vous en tirez une leçon et que vous essayez à nouveau, l'échec est fugace ; c'est le fait d'abdiquer devant l'échec qui rend ce dernier irréductible.

Tout dans la tête

Si vous pensez que vous pouvez, vous pouvez.
Si vous pensez que vous ne pouvez pas,
vous ne pouvez pas, et d'une façon
ou d'une autre, vous aurez raison.

Que vous envisagiez l'échec comme une pierre d'achoppement ou une pierre de gué dépend de votre état d'esprit. La plus grande liberté humaine dont nous jouissons est peut-être que chacun de nous, quelle que soit sa situation physique, soit toujours libre et capable de choisir ses pensées.

Chacune de vos pensées est une *cause* qui provoque un *effet*. Les pensées que vous répétez le plus souvent deviennent graduellement vos *pensées dominantes*, qui finissent par être acceptées comme *vraies* par votre subconscient. Celles-ci deviennent des *pensées habituelles*, donc automatiques. En bref, elles deviennent vos *croyances*.

Une croyance, quelle que soit sa nature, représente une façon de penser automatique qui a été développée en réponse ou en réaction à une situation ou à un stimulus donnés. Parfois, vos croyances sont positives et vous aident; parfois, elles sont négatives et vous limitent. Qu'elles soient positives ou négatives, vous tiendrez *toujours* vos croyances pour vraies si vous les acceptez sans les questionner.

Pendant des années, j'ai développé et maintenu la croyance restrictive que je n'arriverais jamais à lire et à écrire correctement à cause de ma dyslexie, et ma croyance a nourri et perpétué cette réalité. Ce n'est qu'à l'âge adulte, lorsque j'ai appris le pouvoir de la pensée positive et de son rapport avec les croyances, que j'ai remis en question ma perspective autorestrictive et que je l'ai remplacée par une croyance positive qui m'a aidé à m'assumer. C'est à ce moment-là que j'ai entrepris la première étape du parcours visant à surmonter ma dyslexie.

Nous sommes ce que nous pensons, et tout ce que nous sommes s'élève de nos pensées. Avec nos pensées, nous créons le monde.
BOUDDHA

Chaque fois que nous pensons, chaque fois que nous sentons, chaque fois que nous exerçons notre volonté, nous semons.
KENNETH COPELAND

Va, qu'il te soit fait selon ta foi.
MATTHIEU 8:13

Ce qui m'a beaucoup aidé à atteindre cet objectif, et tous les autres depuis, c'est d'apprendre à connaître et à conditionner les mécanismes de mon subconscient afin de réussir en me fixant des objectifs.

Votre incroyable subconscient

Votre subconscient est votre meilleur serviteur : il est toujours prêt à se conformer à votre objectif ou à exécuter l'ordre de votre conscient.

Imaginez que votre cerveau est un ordinateur. Votre conscient pourrait être comparé à l'écran, tandis que votre inconscient correspondrait aux programmes de contrôle internes qui ne sont pas visibles directement. Votre conscient et votre subconscient véhiculent tous deux ce que vous voyez à l'écran.

On fait presque chaque jour des découvertes sur le fonctionnement de l'esprit. On sait maintenant avec certitude que le subconscient est très puissant. Il a la capacité de faire des choses que les médecins et les scientifiques n'ont pas encore totalement comprises, et que la plupart des gens n'utiliseront jamais correctement. Votre subconscient fonctionne sans arrêt, vingt-quatre heures sur vingt-quatre, que vous soyez éveillé ou endormi. Ses fonctions principales consistent à vous maintenir en bonne santé et à satisfaire tous vos besoins.

Ensemble, votre conscient et votre subconscient forment un partenariat unique. Votre conscient est comme le capitaine d'un bateau qui a la responsabilité d'établir la direction et de donner les ordres, et votre subconscient est comme l'équipage qui doit obéir aux ordres du capitaine.

> **Ils peuvent parce qu'ils croient pouvoir.**
> VIRGILE
>
> **Votre esprit est une enceinte sacrée dans laquelle nul élément nuisible ne peut pénétrer sans votre permission.**
> RALPH WALDO EMERSON

Toutefois, malgré son grand pouvoir, il y a une fonction cruciale que votre subconscient ne peut remplir : il ne peut pas questionner ou porter des *jugements de valeur*. En d'autres termes, il n'est pas en mesure de déterminer si quelque chose est bien ou mal, bon ou mauvais, vrai ou faux pour vous. La responsabilité de cette tâche incombe au *questionnement* de votre conscient.

Commander l'équipage

Vos pensées subconscientes suivront vos ordres.

La façon première dont votre capitaine conscient communique avec votre équipage subconscient, c'est par vos pensées. Chaque pensée est un objectif ou un ordre auquel votre subconscient doit obéir. Les pensées que vous répétez le plus souvent, et celles qui sont liées à vos émotions les plus fortes, deviennent vos *pensées dominantes*, donc les ordres prioritaires auxquels obéit votre subconscient.

Avez-vous déjà vécu l'expérience de monter dans votre voiture, de décider d'aller quelque part, et de vous rendre compte que vous êtes arrivé sans pouvoir vous souvenir de la plupart du trajet ? Cette expérience courante est possible parce que lorsque vous réfléchissez à votre destination, votre subconscient obéit à votre ordre, tandis que votre conscient réfléchit à d'autres choses pendant le trajet. En fait, votre subconscient dirige 90 % de votre conduite ou de vos *actes* dans tous les domaines de votre vie et de vos activités quotidiennes.

La plupart des gens ne prennent pas le temps d'y réfléchir ; ils trouvent ça normal et traversent la vie dans une sorte de pilote automatique subconscient. Il est pourtant crucial de comprendre que votre subconscient est conçu comme un système de missile téléguidé toujours à la recherche d'une cible. Si vous ne donnez pas à votre équipage subconscient des ordres conscients et clairement définis quant à la direction que vous comptez emprunter dans la vie, il se contentera de choisir pour cible votre *pensée dominante* et agira alors par défaut.

> **L'esprit est la limite. Tant que l'esprit peut imaginer que vous pouvez faire quelque chose, vous pouvez le faire – à condition d'y croire à cent pour cent.**
>
> ARNOLD SCHWARZENEGGER

Revenons à un scénario de conduite automobile. Comme pour beaucoup de gens, peut-être vous est-il arrivé de monter dans votre voiture pour aller quelque part sans réfléchir

Nos doutes sont
des traîtres qui
nous privent de ce
que nous pourrions
gagner de bon parce
que nous avons
peur d'essayer.

WILLIAM SHAKESPEARE

Pour tous les actes
faisant appel à
l'initiative et
à la création,
il existe une vérité
élémentaire dont
l'ignorance tue
un nombre infini
d'idées et de plans
merveilleux:
au moment où
l'on s'engage,
la Providence avance
elle aussi.

W. H. MURRAY

Les gens qui ont des
objectifs réussissent
parce qu'ils savent
où ils vont... C'est
aussi simple que ça.

EARL NIGHTINGALE

clairement à votre destination, ni l'imaginer. Au bout du compte, au lieu de prendre le virage nécessaire, votre subconscient vous a fait suivre un ancien itinéraire *dominant* qui était toujours très présent dans votre mémoire. Si cela leur est désagréable et si, en plus, cela leur fait perdre du temps, ce que beaucoup de gens trouvent encore plus nuisible, c'est parce que leurs *pensées dominantes* récurrentes ne concernent non pas les choses positives qu'ils veulent accomplir, mais ce dont ils ont *peur*.

Si vous vous concentrez régulièrement sur ce que vous ne voulez pas, par exemple ne pas avoir assez d'argent pour payer vos factures, rompre avec l'être aimé, tomber malade ou perdre votre sang-froid, votre subconscient, incapable de porter des jugements de valeur, se contentera d'accepter le contenu de ces pensées comme étant l'objectif à atteindre et commencera à agir en conséquence. Dès lors, les pensées négatives répétées poussent votre subconscient à vous plonger dans une forme d'autosabotage. La plupart des gens affaiblissent considérablement leur pouvoir en dépensant de l'énergie mentale et émotionnelle à appréhender un échec.

Ce qui distingue, entre autres, les personnes qui estiment qu'elles réussissent de celles qui estiment qu'elles ne réussissent pas, c'est que celles qui réussissent restent totalement concentrées sur ce qu'elles veulent et génèrent ainsi une grande force personnelle plutôt que de se laisser distraire et de se décourager par ce dont elles ont peur.

L'art de fixer des objectifs

Transformez l'idée de ce que vous voulez en objectif.

Tout accomplissement, quelle que soit sa nature, qu'il soit petit ou grand, est précédé d'un objectif. Fixer des objectifs est le grand art ou la compétence maîtresse de la vie, car c'est ce qui permet d'acquérir toutes les autres compétences.

Chacun d'entre nous est capable de fixer des objectifs ; il s'agit de la fonction principale de notre esprit. Notre conscient fixe un objectif par l'entremise d'une pensée, et notre subconscient obéit en œuvrant pour l'atteindre. Les gens qui réussissent apprennent, consciemment ou inconsciemment, à transformer cette capacité mentale naturelle en un outil puissant au service de la réussite personnelle.

L'histoire montre que toutes sortes de gens réussissent toutes sortes de choses incroyables lorsqu'ils apprennent à canaliser leur esprit, à mettre à profit leur motivation et à demeurer dévoués à leur vision grâce à des actions déterminées. Fixer des objectifs constitue la technique ou stratégie clé pour parvenir à cet état d'esprit et à cette façon d'être.

Avant de traverser les Alpes en 218 av. J.-C., Hannibal avait fixé l'objectif de le faire ; avant de découvrir la théorie de la relativité, Einstein avait fixé l'objectif de la chercher. Avant qu'un grand artiste ne crée quelque chef-d'œuvre, son esprit en formule d'abord l'objectif.

Il est fondamental, pour réussir dans la vie, de développer votre capacité à fixer correctement des objectifs. Or fixer des objectifs consciemment est un état d'esprit simple mais profond, et c'est aussi une façon de penser. Mais fixer des objectifs, ce n'est pas seulement une formule, c'est aussi un système de « disciplines de vie » formant une habitude qui, avec le temps, se cristallise en une attitude face à la vie.

> Je rêve de ma peinture, puis je peins mon rêve.
> VINCENT VAN GOGH

Beaucoup de gens auront l'idée de se fixer des objectifs et certains auront essayé de le faire consciemment dans le passé. Mais très peu de gens maîtriseront l'art de fixer des objectifs correctement ou auront conscience des raisons naturelles et psychologiques qui expliquent la raison pour laquelle la fixation des objectifs fonctionne.

L'étude de l'Université Yale

En 1953, on a mené une étude auprès des étudiants de Yale en dernière année. Les résultats indiquaient que seulement 4 % des étudiants avaient clairement fixé par écrit des objectifs d'avenir. Vingt ans plus tard, les membres survivants de la promotion 1953 ont été à nouveau interrogés. Il s'est avéré que les 4 % qui s'étaient fixés des objectifs pesaient plus lourd sur le plan financier (c'est la valeur la plus facile à mesurer) que les autres 96 % réunis.

> **Allez haut, allez loin.**
> **Votre but, le ciel.**
> **Votre objectif,**
> **l'étoile.**
>
> INSCRIPTION À WILLIAMS COLLEGE

Malheureusement, il n'y a que 3 % ou 4 % de la population, tous groupes confondus, qui se fixent régulièrement des objectifs par écrit. Ce n'est donc probablement pas une coïncidence que presque 95 % des gens (quasiment le même pourcentage que ceux qui n'avaient pas fixé d'objectif) dépendent des autres à leur retraite, que ce soit de leur famille, de leurs amis, de la charité, de la retraite de l'entreprise ou de l'État. Il n'y a que 5 % de la population qui prend sa retraite avec des ressources personnelles suffisantes pour subvenir à ses besoins. Environ 2 % de ces gens reçoivent un héritage, et les 3 % ou 4 % restants ont réussi par eux-mêmes – ceux qui se fixent des objectifs conscients et réguliers.

S'il vous plaît, n'allez pas imaginer que la fixation des objectifs se limite aux gains matériels ou financiers. Fixer des objectifs correspond au mode de fonctionnement naturel de notre esprit, ce qui signifie que chaque domaine ou aspect de notre vie doit être motivé par un objectif précis, si l'on veut mettre à profit tout notre potentiel et vivre la meilleure vie possible.

Chaque fois que vous avez une pensée et que vous prenez la décision de faire quelque chose, vous vous fixez un objectif. Dire « Je vais terminer cette tâche et ensuite je prendrai une pause », ou « Je vais faire le ménage et ensuite je prendrai un café » sont des exemples d'objectifs fixés de façon consciente. Il s'agit du processus consistant à prendre une décision consciente, à se fixer un objectif et, si nécessaire, à retarder la récompense jusqu'à ce que l'objectif soit atteint. Par exemple, vous lever ce matin était un objectif que vous avez atteint. Aller au travail, à l'école ou rester à la maison sont également des objectifs. Comme je l'ai dit plus haut, chaque pensée devient systématiquement, voire par défaut, un objectif auquel votre subconscient doit obéir.

Atteindre votre objectif ne représente pas nécessairement l'élément essentiel du processus de fixation des objectifs; c'est d'en avoir un qui apporte le plus de bienfaits. Le fait d'avoir une raison de se lever le matin et de déployer des efforts est un aspect crucial pour rendre l'expérience de la vie digne d'intérêt. La poursuite d'un objectif vous forcera toujours à progresser d'une façon ou d'une autre en tant que personne. C'est cette croissance ou progression – le fait d'être ou de tendre (à être) au meilleur de « vous-même » – qui génèrera, au bout du compte, vos meilleures expériences.

Psychocybernétique de Maxwell Maltz figure parmi les premiers livres que j'ai pu lire correctement. L'auteur y dit quelque chose de très profond : « Sur le plan émotionnel, on est conçu comme un vélo : si on n'avance pas, on perd l'équilibre et on tombe. »

La route de la vie sera toujours semée d'embûches qui font tout simplement partie du parcours. Si vous maintenez une certaine vitesse à vélo, ça risque de secouer un peu, mais vous passerez néanmoins sur les cailloux. Toutefois, si vous n'avez pas d'élan dans la vie, que vous ne visez rien, que rien ne vous force à exister, le moindre galet suffira à vous désarçonner. Avoir un objectif, c'est comme avoir un but et un motif : cela vous motive et vous aide à maintenir votre équilibre et votre élan.

Planifiez l'avenir, car c'est là que vous allez passer le reste de votre vie.

Mark Twain

Le plus important dans le fait d'avoir des objectifs, c'est d'en avoir un.

Geoffry F. Abert

Ayez le courage de miser sur vos idéaux, de prendre des risques calculés et d'agir. Il faut du courage au quotidien pour que la vie soit efficace et apporte le bonheur.

Maxwell Maltz

Pensez à une image

Nous pensons tous en images, comme en mots.

J'ai réellement pris conscience de ce processus continu en découvrant la technique de Goal mapping. Je dis bien « en découvrant » parce que je ne me considère pas comme étant un inventeur. En fait, le Goal mapping m'est subitement apparu dans son intégralité. Cet éclair de lucidité s'est produit tard un soir, alors que j'étais au volant de ma voiture et que je réfléchissais à la question suivante : « Pourquoi y a-t-il des gens qui réussissent tellement mieux que d'autres ? »

> Le secret pour se fixer des objectifs de façon productive, c'est d'établir des objectifs clairement définis, de les consigner par écrit et de vous concentrer sur ceux-ci plusieurs fois par jour avec des mots, des images et des émotions, comme si vous les aviez déjà atteints.
>
> DENIS WAITLEY

Si j'ai visualisé toute la technique en un instant, il m'a fallu presque un an pour consigner par écrit cette vision momentanée sous la forme d'un programme de formation, et plus longtemps encore pour comprendre la raison pour laquelle cette technique aidait autant les gens à réaliser leurs rêves.

Parmi les principaux aspects et sources de pouvoir de la technique de Goal mapping, on peut citer la structure en miroir des mots et des images. Nous avons tous deux hémisphères dans notre cerveau. L'hémisphère gauche est logique, analytique, mathématique, et raisonne avec des mots. L'hémisphère droit, en revanche, est émotionnel, latéral, intuitif et raisonne à l'aide d'images. Pour fixer des objectifs de façon optimale, il faut esquisser vos intentions à la fois dans vos pensées et dans vos sentiments.

La technique de Goal mapping

La sagesse ancestrale, combinée à la compréhension scientifique, génère un pouvoir véritable.

Les techniques de fixation des objectifs ont évolué au fil des ans, et proviennent à l'origine de doctrines ésotériques et secrètes. Au départ, elles n'étaient enseignées qu'à quelques privilégiés – parce qu'elles promouvaient le concept d'autodétermination et de développement conscient. Depuis, ces principes ont été intégrés à tout un éventail de systèmes d'efforts (individuels) autonomes qui existent et qui sont utilisés par les masses à l'échelle mondiale. Chaque nouvelle formule de fixation des objectifs essaie d'être plus efficace et plus puissante que la précédente. La connaissance des mécanismes de l'esprit ayant progressé, il en va de même pour l'efficacité et le pouvoir des divers programmes de fixation des objectifs.

Toutefois, quel que soit l'individu, l'efficacité de toute technique de fixation des objectifs réside dans sa facilité à inculquer les objectifs que vous avez choisis consciemment à votre subconscient, de façon suffisamment probante pour que ce dernier accepte votre objectif comme *l'ordre dominant* à suivre.

La méthode traditionnelle pour « inculquer » au subconscient l'acceptation des faits et des objectifs (surtout à l'école) est la répétition, qui implique généralement le processus d'écriture et de réécriture de l'objectif, encore et encore, ligne après ligne, des centaines de fois. Cette méthode fonctionne en effet pour certaines personnes, mais la plupart des gens trouvent qu'elle est trop ennuyeuse, qu'elle prend trop de temps et qu'elle n'est pas efficace; ils abandonnent bien avant que leur subconscient n'ait reçu le nouvel ordre ou objectif dominant. L'un des problèmes de cette approche, c'est qu'elle s'adresse principalement à l'hémisphère gauche qui a un accès limité au subconscient.

Or on a fait, dans les dernières années, des découvertes capitales quant au phénomène de l'apprentissage, qui montrent clairement ce que les vieux enseignements ont toujours su: que l'accès principal au subconscient ne se situe pas au niveau de l'hémisphère gauche du cerveau, qui raisonne avec des mots, mais de l'hémisphère droit, qui raisonne au moyen d'images.

La technique de *Goal mapping* utilise une combinaison unique de mots et d'images qui activent les deux hémisphères, de manière

Aucune armée ne peut résister à la force d'une idée dont le moment est venu. Il n'y a rien de plus puissant qu'une idée dont le moment est venu. Rien ne peut arrêter une idée dont le moment est venu.
VICTOR HUGO

Vous aussi, vous pouvez déterminer ce que vous voulez. Vous pouvez décider de vos principaux objectifs, cibles, buts et destinations.
W. CLEMENT STONE

> Nous sommes ce que nous sommes et là où nous sommes parce que c'est ce que nous avions imaginé.
> DONALD CURTIS

> Vous voulez que votre vie «décolle»? Alors, commencez dès maintenant à l'imaginer telle que vous voudriez qu'elle soit, et agissez en conséquence. Identifiez toute pensée, tout mot ou toute action qui n'est pas en harmonie avec ce que vous avez imaginé. Et éloignez-vous-en.
> NEALE DONALD WALSCH

à créer le maximum de connexions avec le subconscient, ce qui a pour effet d'inscrire profondément, dans le subconscient, tous les objectifs désirés consciemment.

Le Goal mapping – qui est basé sur des principes éprouvés de la fixation des objectifs traditionnels, combinés au pouvoir des dernières stratégies d'apprentissage – stimule toute l'activité cérébrale et met à profit les aspects intrinsèques nécessaires à toutes sortes de réussites conscientes et voulues.

Les sept étapes du Goal mapping vous mèneront à la réussite par la considération de *qui ou quoi* vous fera aller de l'avant, *en se demandant pourquoi*, *quand et comment*. Le Goal mapping amène les individus à identifier leurs objectifs, à définir leurs motifs et à agir (Chapitre 6). Une «carte d'objectifs» personnalisée cristallise cette information stimulante à l'aide de mots et d'images, ce qui permet de la communiquer clairement au «pilote automatique» subconscient de l'utilisateur. Une fois terminée, votre carte d'objectifs devient alors le plan, voire le programme de votre future réussite.

Que vous sachiez ou non ce que vous attendez de la vie, si vous savez néanmoins que vous voulez une vie différente et savoir où vous diriger dans l'avenir, poursuivez avec moi, tandis que nous entamons notre parcours dans la créativité, la logique et la clarté du Goal mapping.

Comment tirer le meilleur parti de ce livre

Les pages suivantes constituent un mode d'emploi de l'accomplissement personnel et décrivent une philosophie universelle de la réussite, basée sur la Loi naturelle et la psychologie de la motivation qui constituent les fondements de la technique du Goal mapping. Les sept étapes du Goal mapping (Chapitre 6) constituent un système complet et indépendant visant à obtenir le succès, mais elles ont aussi été conçues pour opérer en parallèle avec les lois naturelles et universelles de la manifestation (Chapitre 4).

Je vous recommande de lire tout le livre d'abord, de faire les exercices et de créer votre première carte d'objectifs afin de bien comprendre la technique du Goal mapping et la philosophie qui la sous-tend. Ensuite, offrez-vous du temps pour créer une autre carte d'objectifs dans laquelle vous incorporerez toute nouvelle perspective et tout nouveau développement. La réussite et le Goal mapping étant des processus continus, je vous recommande également de mettre régulièrement à jour votre carte d'objectifs et d'en créer une autre chaque fois que vous envisagez quelque chose de nouveau. De cette façon, vous transformerez progressivement en habitude l'acquisition de votre compétence en Goal mapping, c'est-à-dire dans l'approche de la vie.

Rien ne peut empêcher un homme d'atteindre son objectif s'il a la bonne attitude mentale: rien ne peut aider un homme qui a la mauvaise attitude mentale.

THOMAS JEFFERSON

Vous préparer à votre parcours intérieur

Avant de vous engager davantage dans la création de votre carte d'objectifs, j'ai une requête simple mais importante qui vous aidera à progresser: créez une petite *conscience de possibilité* dans votre esprit.

Conscience de possibilité

Notre esprit conscient est toujours en train de questionner, d'évaluer et de filtrer l'information en fonction de nos opinions et croyances du moment. Si cela représente un avantage dans la vie d'une manière générale, cela peut aussi constituer un inconvénient de taille, car si vous préjugez de l'information que vous recevez et que vous décidez qu'elle n'est pas réellement pertinente, vous éliminerez des parties, voire des éléments d'une certaine valeur, et raterez peut-être quelque chose d'une grande importance.

C'est pourquoi je vous demande de créer un espace pour la *possibilité* dans votre esprit et d'y placer toutes les informations,

> **Un peu de science est chose dangereuse. Abstenez-vous de l'eau de la fontaine des Muses, à moins d'en boire beaucoup.**
> **ALEXANDER POPE**

idées, principes et concepts que vous allez apprendre. Ainsi, quand vous serez arrivé à la fin du livre, vous serez en mesure d'évaluer comment toute cette information, et la technique du Goal mapping elle-même, vous sera le plus utile. Amusez-vous bien en cours de création de cet espace de *possibilités*.

Première partie

Les principes de la réussite

Chapitre 1

La vie est un objectif

La vie a un but. Il s'agit ici du moteur même de l'évolution : le besoin de progresser et de devenir meilleur.

L'ensemble de la création, qu'elle soit animale, végétale ou minérale, cherche naturellement à survivre, à avancer et à prospérer. C'est notre but intrinsèque et notre objectif inné. Cet objectif, qu'on appelle l'évolution, est présent chez tous les animaux et est guidé par l'instinct de survie. Or nous, les humains, avons davantage cet instinct ; nous avons l'intellect et l'intuition, et nous déterminons notre réflexion, nos habitudes et nos actions, ce qui veut dire que nous sommes libres de choisir notre propre *objectif* d'évolution.

Tout, dans l'univers, participe d'un processus d'évolution et est donc orienté vers un objectif de survie. L'objectif de la nature et le moteur de l'évolution ont toujours été d'avancer en rassemblant des particules, des atomes et des molécules, et en les organisant en structures et formes de vie plus hautes, plus sophistiquées et plus complexes. L'objectif continu de la nature, c'est de se développer et de se propager, voire se multiplier : d'un atome à un système solaire entier, d'une amibe à cellule unique à un zèbre avec des milliards de cellules.

> Je ne connais rien de plus encourageant que la capacité incontestable de l'homme à *élever* sa vie par un effort conscient.
>
> HENRY DAVID THOREAU

La race humaine fait aussi partie de la nature, ce qui signifie que cette impulsion primitive du changement de l'évolution existe en chacun de nous. Le désir naturel d'avancer, de progresser et de prospérer est imprimé dans le tissu même de notre être. Dès notre venue au monde, cette force est à l'œuvre et guide nos pas et notre besoin d'explorer. La grande différence entre nous et les autres formes de vie qui sentent cette force, c'est que nous avons le libre arbitre de choisir la direction de l'élan d'évolution.

Chérissez ce don

Nous sommes les cocréateurs conscients de notre propre création. Notre libre arbitre est un reflet de notre divinité.

Je crois que notre plus grand don, c'est que nous sommes tous personnellement capables de choisir nos propres réponses dans la vie, et que nous sommes donc libres de choisir nos propres objectifs, voire nos propres directions, et de définir nos propres buts respectifs.

Je rencontre pourtant très souvent des gens qui négligent ce grand don *de droit divin.* Qu'il s'agisse de ceux qui n'ont jamais pris le temps de réfléchir à ce qu'ils veulent réellement ou de ceux qui ne croient pas avoir de pouvoir personnel ou de contrôle sur leur vie et les circonstances. Beaucoup de gens semblent effrayés, voire révulsés à l'idée de fixer des objectifs, peut-être en raison de croyances erronées que l'argent et la réussite matérielle sont mauvais en quelque sorte, ou qu'il n'est « guère spirituel » de trop prospérer. Il m'arrive de rencontrer des gens qui redoutent toute forme de richesse ou d'abondance. Toutefois, il m'arrive rarement de rencontrer quelqu'un qui veut consciemment se retrouver dans une situation moins favorable que sa situation actuelle.

Nous sommes nés pour rendre manifeste la gloire de Dieu qui est en nous. Elle ne se trouve pas seulement chez quelques élus, elle est en chacun de nous.
MARIANNE WILLIAMSON

Nous sommes cocréateurs avec Dieu, et non pas des marionnettes suspendues à des fils, qui attendent que quelque chose se passe.
LEO BOOTH

La sensation de reculer dans notre vie est associée à la sensation de dépression mentale et émotionnelle, de déclin physique ou de fatigue. C'est à l'opposé de l'élan de la vie et de l'évolution. Comme le dit Tony Wilson, grand orateur et ami proche: « Il n'y a que deux états véritables dans la nature: *vert et croissant*, ou *mûr et pourri*. À vous de choisir celui que vous voulez être. »

D'après mon expérience, une personne saine d'esprit veut se sentir « verte et croissante » ; elle veut progresser et avoir fait mieux que l'année précédente. Pas forcément en termes de gains financiers ou matériels, mais peut-être grâce à l'acquisition d'une nouvelle compétence ou connaissance. Des accomplissements tels qu'obtenir une qualification, réussir un examen, développer en profondeur certains aspects de sa personnalité (comme devenir plus patient, attentionné, compréhensif, déterminé, motivé, concentré) ou ce qui est important pour cette personne.

Ce qui est cité ci-dessus, tel que tout autre type d'accomplissement, par exemple être heureux, satisfait ou spirituellement éveillé, est généré par la fixation d'un objectif ou d'une intention. En fait, l'acte de fixer un objectif suit harmonieusement l'élan naturel de la vie: il est toujours question d'*aller de l'avant*. Comme l'a souligné Abraham Maslow au début du XXe siècle: « L'homme n'est véritablement heureux que lorsqu'il sent qu'il fait des progrès et qu'il devient meilleur. »

Le bonheur est un choix conscient, pas une réponse automatique.
MICHAEL BARTEL

C'est l'esprit qui fait le bien ou le mal, qui rend heureux ou malheureux, riche ou pauvre.
EDMUND SPENSER

Dans l'histoire, l'évolution de l'humanité forme une longue série d'objectifs. Certaines personnes sentent peut-être que cela nous a menés à une situation qui n'augure rien de bon. Je serais le premier à être d'accord qu'il y a beaucoup de choses que nous devons changer pour que la planète et la vie prospèrent à long terme; mais il est inutile de blâmer la fixation des objectifs pour la pauvreté, la pollution, l'empoisonnement de la terre et pour le désastre dans lequel nous sommes. Le progrès par la fixation des objectifs est dans notre nature; c'est la façon dont nos esprits ont évolué. Pour apporter des changements positifs à toute évolution, il suffit de changer l'objet de nos intentions et les objectifs que nous poursuivons.

Fixation consciente des objectifs

La fixation des objectifs est la grande différence qui fait toute la différence.

> Il n'y a qu'une réussite: pouvoir vivre sa vie comme on l'entend.
>
> CHRISTOPHER MORLEY
>
> Il y a deux buts dans la vie: obtenir d'abord ce que l'on désire, ensuite en jouir.
>
> LOGAN PEARSALL SMITH

La nécessité, pour toute forme de réussite, de fixer des objectifs ou de prendre des décisions conscientes a toujours été comprise par ceux qui étudient et recherchent l'amélioration et l'accomplissement personnels dans leur vie. Étudiez la biographie de quiconque a accompli quelque chose ayant une valeur authentique, et vous découvrirez qu'il s'agissait d'une personne passionnée par la fixation des objectifs. Ouvrez un livre sur la façon d'avoir une vie plus réussie et plus épanouissante, et vous y trouverez une section sur la fixation des objectifs. Parlez aux hommes et aux femmes qui ont atteint le sommet de leur profession, et ils vous parleront des objectifs à atteindre qu'ils s'étaient fixés et en quoi cela les a aidés à se réaliser.

Les hommes et les femmes qui accomplissent de grandes choses se fixent régulièrement des objectifs et sont clairement déterminés, c'est un fait; ils ont besoin de mettre la barre haut, soit quelque chose qui les motive chaque matin. La fixation des objectifs, c'est l'ingrédient principal dans toute recette du succès.

Il m'arrive de rencontrer des gens qui considèrent que la fixation des objectifs est réservée à ceux qui veulent progresser rapidement dans leur carrière ou accroître leur richesse. En réalité, de plus en plus de gens se fixent consciemment des objectifs afin d'améliorer chaque aspect d'eux-mêmes, de leur vie et de leur environnement.

Les objectifs sont les étincelles qui allument le feu de nos intentions. Ils sont le moteur de nos rêves, le facteur déterminant qui fait la différence entre l'abandon et la persistance. Pour des millions de gens, les objectifs personnels représentent le tournant/moment décisif qui les a conduits de la pauvreté à la prospérité, de la résignation à la résilience, et de la dépression au bonheur.

Il y a environ deux ans, j'ai vu un ami revivre lorsqu'il a décidé de quitter son poste en entreprise et qu'il s'est fixé l'objectif personnel de faire quelque chose pour l'environnement par la réduction de l'enfouissement des déchets. À ce jour, l'organisme qu'il a fondé (Green Standards) a réussi à détourner des centaines de tonnes de bureaux, de fauteuils et de matériel informatique d'entreprise qui avaient pris le chemin des sites d'enfouissement; l'équipement de bureau est reconditionné et vit une seconde vie dans les pays du tiers-monde.

Il y a quelques années, j'ai rencontré une femme formidable qui, depuis, est devenue une grande amie et un exemple à mes yeux. Quelque temps avant notre rencontre, on lui avait diagnostiqué un cancer en phase terminale, et on ne lui donnait que quelques mois à vivre. Si elle a été totalement abattue dans un premier temps, et qu'elle a eu envie de s'en remettre à son destin, sa famille l'a fortement encouragée à combattre la maladie. Elle m'a dit qu'il y a eu un tournant quand elle s'est fixé l'objectif de recouvrer la santé, et qu'elle a commencé à chercher des traitements susceptibles de l'aider à y parvenir. C'était il y a plus de quatorze ans. La maladie est entrée en rémission, et elle jouit d'une bonne santé depuis.

La vie, c'est surtout de la mousse et des bulles.

ADAM LINDSAY GORDON

Il n'y a pas de grands personnages dans ce monde; il n'y a que de grands défis que des personnes ordinaires s'élèvent à relever.

WILLIAM FREDERICK HALSEY, JR

Pourquoi la fixation des objectifs fonctionne-t-elle?

Lorsque vous poursuivez quelque chose de grand, cela fait ressortir votre grandeur personnelle.

Dans le caractère de chaque individu, il y a un *moi haut* et un *moi bas*.

Notre «*moi haut*» représente toutes nos qualités positives, par exemple la motivation par soi-même, l'inspiration, la responsabilité, la confiance en soi et l'assurance. Ce sont ces qualités qui, au bout du compte, produisent de bons résultats en nous et dans notre vie, même en cas d'échec.

Notre «*moi bas*» est le contraire de notre moi haut et comporte des traits négatifs comme les atermoiements, l'apathie, le blâme, le défaitisme, le doute de soi et l'insécurité. Notre «*moi bas*» représente le pire de nous-mêmes et ces caractéristiques conduisent systématiquement à une forme d'échec, même lorsqu'il y a possibilité de réussite. Par exemple, lorsque nous rencontrons une occasion favorable mais que nous sommes incapables de rassembler le courage ou la motivation nécessaires pour saisir cette occasion.

La vie est en changement continuel et peut déclencher des montagnes russes de hauts et de bas émotionnels, d'attitudes et de réactions. Parfois, nos réactions seront positives et proviendront de notre *moi haut*. D'autres fois, elles seront négatives et émaneront de notre *moi bas*. Mais parce que nous sommes des créatures d'habitude(s), le *moi* qu'on privilégie, le *haut* ou le *bas*, finira par prendre le dessus. Notre réaction la plus courante sera alors renforcée et deviendra la réaction automatique ou régulière aux situations qui se présenteront.

> **Ce qu'on ne voit pas, ce que la plupart d'entre nous ne soupçonne même pas d'exister, c'est la force silencieuse mais irrésistible qui vient au secours de ceux qui refusent de se décourager.**
> NAPOLEON HILL

La loi (universelle) de cause à effet implique que les actions et les réactions négatives finissent par générer des résultats négatifs, tandis que les actions et les réactions positives créent davantage de résultats positifs. Chacun a la capacité de créer davantage de résultats positifs dans sa vie, quelles que soient les circonstances, simplement en choisissant d'approcher la vie depuis leur *moi haut*.

Chaque fois que vous vous fixez un objectif positif ou que vous pensez à un tel objectif – surtout lorsque vous le consignez par écrit – c'est votre *moi haut* qui s'exprime, et vous activez alors votre mécanisme de réussite qui l'emporte sur toute pensée, attitude et habitude négatives.

La fixation des objectifs est le détonateur qui alimente votre imagination et libère votre potentiel. Plus vous pratiquez la fixation d'objectifs positifs, plus vous êtes en contact avec votre *moi haut* et votre manière habituelle d'approcher la vie devient prépondérante, avec les qualités positives de caractère qui créent la réussite. Vous devenez énergique, actif et concentré.

Beaucoup de gens ont des *intentions* positives quant à leur avenir, mais ces intentions peuvent être des pensées fugitives et non pas des objectifs spécifiques. Nous devons donc trouver un moyen de nous raccrocher à ces intentions, de clarifier nos objectifs et de garder à l'esprit ce que nous considérons important. Beaucoup de bonnes intentions et de perspectives pertinentes se perdent dans la frénésie du quotidien et le flux de notre conscience.

La discipline de consigner quelque chose par écrit constitue la première étape dans sa réalisation.
LEE IACOCCA

Une pensée couchée sur papier, et révisée régulièrement, est perçue par votre subconscient comme étant un objectif à atteindre ; cela l'amène à un autre niveau de pouvoir. À l'instar d'un aimant, cette pensée commence à attirer les divers éléments requis pour atteindre cet objectif.

Goethe l'a magnifiquement dit :

> « Avant d'être totalement engagé, l'hésitation nous tenaille ; il reste une chance de se soustraire à l'initiative. Toujours la même impuissance devant la création. Il existe une vérité première dont l'ignorance a déjà détruit d'innombrables idées et de superbes projets : au moment où l'on s'engage totalement, la providence éclaire notre chemin. Une quantité d'éléments, sur lesquels, par ailleurs,

l'on ne pourrait jamais compter, contribue à aider l'individu. La décision engendre un torrent d'événements, et l'individu peut alors bénéficier d'un nombre de faits imprévisibles, de rencontres et du soutien matériel que nul n'oserait jamais espérer. Quelle que soit la chose que vous pouvez faire ou que vous rêver de faire, faites-la. L'audace a du génie, de la puissance et de la magie. Commencez dès maintenant. »

Votre pilote automatique personnel

Apprenez à conditionner votre subconscient à réussir, et vous accomplirez des miracles.

La capacité de se discipliner à retarder la satisfaction à court terme, afin de jouir d'une plus grande récompense à long terme, est la condition préalable, voire indispensable du succès.

BRIAN TRACY

Les objectifs sont des cibles nouvelles qui avancent et vous attirent vers elles.

MARK VICTOR HANSEN

La nature de votre subconscient et son mécanisme constituent quelques-uns des aspects les plus importants de la fixation des objectifs et expliquent la raison pour laquelle cette fixation fonctionne. Il est crucial de comprendre ce point si l'on veut atteindre ses objectifs. Tandis que nous avançons dans la vie et que nous faisons face aux situations qui se présentent à nous au quotidien, nous n'avons généralement pas conscience que c'est notre subconscient qui dirige la plupart de nos activités, ce qui nous permet d'avancer sans nous éparpiller, et ce, avec un minimum d'efforts conscients.

Bien que le subconscient fasse la majeure partie du travail, la partie consciente de l'esprit a la *responsabilité* de choisir la direction à prendre ou le but à poursuivre – par exemple, lacer ses chaussures est un processus plutôt complexe, mais une fois maîtrisée, la technique devient une activité subconsciente automatique ; il nous suffit de penser consciemment à ce que nous voulons pour déclencher le processus.

L'association conscient/subconscient est fort utile, et elle a servi l'humanité tout au long de l'histoire. Le processus de choisir consciemment, puis d'agir inconsciemment, est fidèle à la façon dont notre esprit a évolué, et lorsqu'il est bien utilisé, ce processus peut nous aider à atteindre n'importe quel but.

Votre subconscient est tellement puissant qu'il peut faire des équations complexes en millisecondes. Par exemple, lorsque vous estimez avec justesse la vitesse d'une voiture venant en sens inverse, alors que vous traversez une rue passante et que vous évaluez le temps nécessaire pour atteindre l'autre côté ; ou lorsque vous évaluez la vitesse et la direction d'un ballon en mouvement, alors que vous sautez et l'attrapez sans effort.

Mon réveil mental

Savez-vous que personne n'a réellement besoin d'un réveil ? En effet, avez-vous déjà vécu l'expérience de vouloir vous lever très tôt pour quelque chose d'une importance telle que vous aviez programmé deux réveille-matin et que vous aviez prévu, *en plus*, un réveil téléphonique ? Puis, quelques instants avant qu'ils ne sonnent, vous vous êtes alors réveillé en sursaut.

Quand j'avais environ sept ans, mon oncle m'a dit : « Brian, si tu te donnes sept petits coups à la tête, tu vas te réveiller à 7 h demain matin. » Je n'étais qu'un jeune enfant, excité à l'idée d'apprendre quelque chose de nouveau, et j'ai cru mon oncle sans poser de questions. J'ai essayé, cela a fonctionné comme par magie, et j'ai utilisé cette méthode pendant des années.

Avec l'âge, et tandis que je commençais à comprendre le fonctionnement de mon cerveau, j'ai compris que le résultat avait été obtenu en fixant un but ou un objectif à atteindre à mon subconscient. Si j'utilise toujours cette technique, toutefois je ne prends plus la peine de me donner des petits coups sur la tête. Je me contente d'imaginer les aiguilles du réveil à l'heure à laquelle je veux me lever, et cette croyance ainsi imaginée garantit, en quelque sorte, que je me réveillerai quelques instants avant l'heure en question. De plus, dans la mesure où je me dis que je veux me réveiller par moi-même, plutôt que d'être réveillé par un signal extérieur, je me réveille alors plus reposé sinon énergisé.

> La chance ne sourit qu'aux esprits bien préparés.
> LOUIS PASTEUR

> Fixer votre objectif, c'est comme identifier l'étoile polaire: vous réglez votre boussole sur elle, puis vous vous en servez pour retrouver votre route lorsque vous errez.
> MARSHALL DIMOCK

De la même manière, beaucoup de gens ont fait l'expérience d'aller se coucher avec un problème non résolu à l'esprit, pour se réveiller le matin avec la réponse. Parmi les exemples courants de ce type de fonction subconsciente d'objectif, on peut citer l'expérience d'essayer de se rappeler le nom d'une personne. Bien que vous l'ayez « sur le bout de la langue », vous ne le trouvez pas; mais plus tard, généralement lorsque vous faites complètement autre chose et que vous avez lâché prise sur votre pensée consciente, votre subconscient manifeste spontanément le nom de la personne à votre esprit.

Comme nous le verrons, cela est possible parce que votre subconscient est motivé par vos objectifs. Une fois que vous avez un but conscient et que vous vous concentrez sur ce que vous voulez, vous pouvez dès lors fixer un objectif, et votre subconscient se mettra en œuvre pour l'atteindre.

Votre génie magique

Votre subconscient cherche à vous aider à vous épanouir dans la vie, à maintenir votre bien-être et à réaliser toutes vos ambitions.

Beaucoup de gens s'imaginent que leur subconscient est un lieu sombre, troublant ou négatif. J'utilise souvent une analogie pour aider les gens à voir leur subconscient sous une lumière positive, celle du *génie magique*. Les génies sont tout-puissants; ils peuvent exaucer vos vœux et vous aider à transformer vos rêves en réalité. Ils sont loyaux, fidèles et obéissants. Tout ce que vous avez à faire pour que votre vœu ou désir soit exaucé, c'est de l'ordonner clairement et précisément à votre génie par la formulation d'un objectif. L'analogie du génie nous rappelle aussi un des points primordiaux de la compréhension de notre subconscient: il *ne peut pas faire de jugements de valeur*.

Tel un génie imaginaire, votre subconscient ne peut pas faire la distinction entre le bien et le mal, le vrai et le faux, le fait ou la fiction. Il ne connaît pas la différence entre ce que vous désirez ou redoutez, ce que vous favorisez ou craignez. À l'instar d'un génie, il ne peut pas simplement décider de vous donner quelque chose. Vous devez toujours le lui demander ou lui en donner l'ordre.

... L'Univers n'a d'autre choix que de vous apporter la manifestation directe de votre pensée... Vous comprenez, le pouvoir créatif, c'est comme le génie de la lampe. Vos paroles sont ses ordres.

NEALE DONALD WALSCH

Ce n'est pas ce que vous êtes qui vous freine, mais ce que vous pensez ne pas être.

DENIS WAITLEY

Parler la langue du génie

Chacune de vos pensées est perçue
comme un ordre par votre subconscient,
mais ce sont vos pensées les plus fortes
qui deviennent de véritables objectifs.

Votre subconscient, tel un génie, est commandé par chacune de vos pensées, qu'elles soient méditées intérieurement ou verbalisées extérieurement. Chacune de vos pensées subconscientes équivaut à caresser votre lampe magique. Avec le temps, vos pensées récurrentes les plus fortes se cristallisent en croyances. Une croyance est donc, en quelque sorte, un ordre permanent donné à un génie magique. Votre subconscient est motivé par des objectifs, ce qui veut dire que si vous ne fixez pas d'objectif conscient à votre génie subconscient, ce dernier choisira, par défaut, votre pensée, votre croyance ou votre opinion dominante, qu'il poursuivra alors en guise d'objectif à atteindre.

Réfléchir à ce que vous voulez

Établir des objectifs positifs et conscients représente un défi de taille pour beaucoup de gens. Si vous deviez mener votre propre enquête et demander : « Que voulez-vous dans la vie ? », vous constateriez qu'une proportion surprenante de gens ne vous donneraient pas de réponse directe. Toutefois, si vous procédiez par élimination, ils commenceraient par vous dire le contraire, en dressant la liste de ce qu'ils ne veulent pas : « Je ne veux pas avoir plus de factures que d'argent. » « Je ne veux pas être malheureux. »

L'habitude est la meilleure des servantes ou le pire des maîtres.
NATHANIEL EMMONS

Plus vous pouvez rêver, plus vous pouvez accomplir.
MICHAEL KORDA

« Je ne veux pas être seul. » « Je ne veux pas avoir peur de l'avenir. »

Ce dont très peu de gens ont conscience, c'est qu'en pensant sans cesse à *ce qu'ils ne veulent pas*, ils font de leur *pensée négative* une *dominante*, et donc un objectif à poursuivre par leur subconscient. Cela les met alors en mode d'autosabotage. Pour accomplir *ce que nous voulons*, nous devons apprendre comment maintenir notre attention sur des pensées inspirantes et des désirs positifs, de sorte que notre subconscient commence à travailler *avec* nous plutôt que contre nous.

Pour acquérir une expérience du grand pouvoir de commander consciemment votre inconscient, veuillez essayer l'exercice suivant :

Partie 1

- Mettez-vous debout, les pieds serrés. Levez le bras droit devant vous, à la hauteur de l'épaule.
- Penchez la tête légèrement sur le côté, de manière à voir votre bras dans sa longueur.
- Maintenant, sans bouger le bras et les pieds, voyez jusqu'où vous pouvez tourner le haut du corps vers la droite.
- Continuez tant que cela demeure confortable, continuez à regarder votre bras, et notez mentalement un point sur le mur qui indique jusqu'où vous êtes allé.
- Revenez de face et abaissez le bras.

Posez le livre et faites cette première partie maintenant !

Partie 2

- Maintenant, répétez le processus, mais cette fois, en vous servant de votre esprit.
- *Ne bougez pas physiquement*. Restez immobile.
- Fermez les yeux et imaginez que vous tournez. Peu importe si vous ne voyez pas le mouvement très nettement ; pensez-y ou dites-vous que vous le faites.
- Imaginez-vous tourner comme vous l'avez fait tout à l'heure, mais cette fois, dites-vous que c'est tellement facile que vous pouvez aller beaucoup plus loin.
- Dites-vous que vous allez aller au moins un mètre plus loin que votre point d'origine.
- Concentrez-vous un moment.
- Notez mentalement que vous avez dépassé votre accomplissement d'origine, puis revenez de face et abaissez mentalement votre bras.

Posez le livre à nouveau, fermez les yeux pour être plus concentré et imaginez-vous en train de faire la partie 2.

Partie 3

- Maintenant, répétez l'expérience physiquement.
- Ne faites pas plus d'efforts que la première fois.
- Levez le bras droit et tournez vers la droite.
- Vous allez beaucoup plus loin, cette fois !

Faites la dernière partie avant de lire la suite.

L'avenir appartient
à ceux qui croient
en la beauté
de leurs rêves.
ELEANOR ROOSEVELT

Imaginez cette chose
que vous voulez.
Voyez-la, sentez-la,
croyez-y. Élaborez
votre projet
mentalement
et commencez.
ROBERT COLLIER

Cet exercice, qu'on appelle « Pré-jeu positif », représente l'essence même de la fixation des objectifs, à savoir préjouer ou imaginer positivement le résultat que vous voulez obtenir avant même d'entreprendre l'action.

J'utilise cette technique dans ma propre vie pour répéter toutes sortes d'accomplissements, et je l'enseigne toujours dans mes ateliers et séminaires où presque tout le monde découvre qu'il peut aller plus loin la seconde fois. Cette méthode est efficace, parce qu'en pensant, ou en vous imaginant aller plus loin, vous créez un ordre précis à suivre pour votre « génie » subconscient. Votre subconscient obéit à l'ordre et *travaille avec vous* en détendant et en contractant les différents muscles qui vous aident à atteindre votre objectif.

Les sportifs de haut niveau utilisent beaucoup de techniques de visualisation comme celle-ci pour améliorer leur performance physique. En vous concentrant sur ce que vous voulez accomplir, avant d'entreprendre une action physique, votre subconscient vous aide à tirer le meilleur de vos capacités.

Cette technique est tout aussi efficace à l'occasion d'un entretien ou d'une évaluation. Je l'enseigne aux enfants qui préparent leurs examens écrits, et je l'utilise moi-même avant chaque présentation dans le cadre de ma préparation mentale.

Il n'est pas nécessaire de voir tous les détails de ce que vous voulez accomplir. Contentez-vous d'imaginer le résultat que vous désirez obtenir, de manière à ordonner à votre subconscient la stratégie à suivre. Cela ne veut pas dire qu'une pratique physique n'est pas nécessaire. Il doit y avoir une expérience et une pratique physiques pour, au départ, produire une image pensée ou ordonner un plan à suivre à votre subconscient. Toutefois, en choisissant votre centre d'attention, vous soulignez les images pensées de résultats positifs, plutôt que des résultats négatifs, et votre performance s'en trouve améliorée.

Soyez le changement
que vous voulez
voir dans le monde.
MAHATMA GANDHI

Si vous voulez
atteindre un objectif,
vous devez visualiser
ce moment dans
votre esprit avant
d'atteindre
votre objectif.
ZIG ZIGLAR

L'importance de la répétition, de la durée et de l'émotion

Il y a trois aspects cruciaux qui rendent une pensée donnée plus forte qu'une autre, et qui la font donc devenir une « pensée dominante ». Il s'agit de la *répétition*, de la *durée* et de l'*émotion*.

Plus vous *répétez* une pensée, plus il y a de chances qu'elle soit adoptée par votre subconscient comme étant un ordre. Une pensée que vous avez acceptée comme étant *vraie* est une pensée que vous ne questionnez plus, et elle devient donc une croyance. Les croyances sont l'équivalent d'*ordres constants* à votre subconscient.

Plus la *durée* de cette croyance est longue, plus elle devient forte. D'abord une simple opinion, elle devient ensuite une certitude puis une croyance. Comme nous l'évoquerons dans le Chapitre 2, c'est lorsque vous commencez à attacher des *émotions* fortes à vos pensées et croyances que vous hissez ces dernières à un autre niveau d'énergie et de pouvoir. Ajouter des sentiments à une pensée, c'est comme ajouter un turbo à un moteur.

> **Les grands cœurs diffusent régulièrement les forces secrètes qui attirent systématiquement les grands événements.**
> RALPH WALDO EMERSON

Si toutes les pensées sont créatives, une pensée du genre « j'imagine que je vais essayer » n'égale en rien le niveau d'énergie et de pouvoir d'une pensée telle que « je vais le faire, c'est sûr ! ». L'émotion qui se cache derrière cette dernière pensée véhicule une croyance, une détermination et une certitude bien plus fortes. Inutile de préciser laquelle des deux se manifestera le plus vite et sera la plus éloquente à l'oreille de votre subconscient.

Plus l'émotion est forte, plus le pouvoir de la pensée est grand, plus la manifestation de cette pensée est grande.

Penser à un meilleur résultat

Mon ancien associé s'occupait d'un athlète qui s'entraînait pour le saut en hauteur. L'athlète courait, sautait, et lorsqu'il faisait un bon saut, il avait l'habitude de revenir calmement et *sans émotion* pour tenter un nouveau saut. Mais lorsqu'il faisait tomber la barre, il jurait, perdait son sang-froid, criait, frappait et devenait nettement *émotif*.

> Mettez du cœur à l'ouvrage, et vous réussirez. Il y a si peu de concurrence...
> ELBERT HUBBARD

Rappelez-vous, la majeure partie de ce que nous faisons est accomplie en mode de «pilote automatique» par notre subconscient qui suit toujours l'ordre de notre *pensée dominante*. Quelle pensée cet athlète ordonnait-il à son subconscient, voire rendait-il dominante, d'après ses réactions? En perdant son sang-froid, il faisait du résultat de sa performance *non désirée* l'ordre dominant à suivre par son subconscient, parce que c'est la pensée à laquelle il attachait toute son *énergie émotionnelle*. Plus il était agacé par ses erreurs occasionnelles, plus il dirigeait son subconscient vers un résultat qu'il ne voulait pas, ce qui ne faisait qu'accroître sa frustration, sa colère et son *émotion*, conduisant alors sa performance dans une vertigineuse spirale descendante.

Ce piège n'est pas réservé aux sportifs: nous tombons tous dedans d'une façon ou d'une autre. Plus nous devenons conscients de ce que nous *ne voulons pas*, plus nous semblons sombrer dans cette idée fixe et plus nous cultivons un résultat négatif. Pour aider cet homme à améliorer sa performance, mon associé l'a encouragé à faire quelque chose qui peut nous servir à tous d'une multitude de façons, dans tous les domaines de notre vie. Tout d'abord, mon partenaire l'a encouragé à s'imaginer en train de passer la barre avant de faire le premier pas, puis à se concentrer sur ses derniers résultats, et ce, en l'aidant à comprendre que « l'échec n'en est pas un si on apprend de l'expérience et qu'on essaie à nouveau ».

Quand il faisait un mauvais saut et qu'il faisait tomber la barre, il devait dire calmement et *sans émotion*: « J'apprends et je fais des progrès. » Quand il sautait vraiment bien et qu'il passait la barre, il était encouragé à gonfler la poitrine, à se laisser aller à sa joie et à célébrer sa réussite. Ce processus a rapidement renforcé, chez lui, un mode de pensée positif. Résultat: il se voyait bien sauter, il en faisait ainsi le projet dominant que son subconscient devait suivre, et sa performance s'est alors nettement améliorée.

Essayez la visualisation et le renforcement émotionnel la prochaine fois que vous pratiquerez un sport ou toute activité dans laquelle vous voulez améliorer votre performance. Ce processus fondamental est à l'œuvre dans tout ce que nous faisons, voire dans tous les domaines de la vie.

En ajoutant de l'émotion à une pensée, nous accroissons son impact sur notre subconscient et nous envoyons donc un ordre précis pour réussir.

Quelle que soit la marge que vous souhaitiez pour passer la barre, qu'il s'agisse d'accroître votre performance au travail, d'améliorer vos relations ou de rehausser votre confiance en vous, vous pouvez y parvenir en suivant le même principe de base de fixation des objectifs, soit celui de vous imaginer obtenir le résultat espéré, et ce, avec toute l'énergie du cœur dont vous êtes capable avant d'entreprendre l'action physique.

Il faut retenir son cœur, car si on le laissait aller, combien vite, alors, on perdrait la tête!

FRIEDRICH NIETZSCHE

Je cherche, je pourchasse, je le fais de tout mon cœur.

VINCENT VAN GOGH

Un jour, quand nous aurons maîtrisé les vents, les vagues, les marées et la pesanteur, nous exploiterons l'énergie de l'amour. Alors, pour la seconde fois dans l'histoire du monde, l'homme aura découvert le feu.

PIERRE TEILHARD DE CHARDIN

Pourquoi tout le monde ne se fixe-t-il pas des objectifs?

Avec autant de preuves sur les avantages de la fixation des objectifs et autant de personnalités qui témoignent de son importance, les chercheurs se sont longtemps posés la question suivante: «Pourquoi n'y a-t-il pas plus de gens qui se fixent des objectifs?»

Traditionnellement, on a identifié quatre raisons:

Les gens n'ont pas conscience de l'importance des objectifs

Il est possible de passer des années à l'école, à l'université, et de ne jamais en apprendre autant qu'en une heure d'enseignement sur la fixation des objectifs. Un professeur bien intentionné ou une autre personne vous dira peut-être de vous fixer un objectif, mais il ne s'agit pas de la fixation des objectifs véritables, et ce n'est certainement pas comparable au fait de recevoir l'information relative au fonctionnement de votre esprit ou celle relative aux principes de la réussite. À moins que vous ne soyez né dans une famille qui fixe des objectifs, ou que vous entriez en contact avec des personnes qui en ont l'habitude, il y a de fortes chances que vous passiez toute votre vie sans prendre conscience de l'importance et de l'efficacité de se fixer régulièrement des objectifs.

> Les grands accomplissements ont généralement lieu dans le cadre de grandes intentions.
>
> JACK ET GARRY KINDER

Les gens ne savent pas comment fixer des objectifs

Certaines personnes savent qu'elles *devraient* se fixer des objectifs, mais ne savent pas *comment* s'y prendre. Si la fixation des objectifs est un mécanisme mental inné, le transformer en un outil puissant pour la réussite est une compétence qui, comme toute compétence, doit être apprise. Dans la fixation des objectifs, il y a des bonnes et des mauvaises façons de faire, des choses à faire et d'autres à ne pas faire. Fixer un objectif de façon erronée est presque aussi inefficace que de ne pas fixer d'objectif du tout, parce qu'un objectif qui n'est pas fixé correctement a peu de chances d'être atteint. Il est probable qu'un résultat négatif amène la personne à croire que la fixation des objectifs ne lui convient pas, sinon la conduise inéluctablement à abandonner cette idée.

Les gens ont peur du rejet

Le besoin d'être accepté figure parmi les besoins basiques de l'homme. Nous apprenons, dès notre plus jeune âge, qu'il n'est pas toujours agréable de s'écarter de la norme, ou d'être trop différent, et de risquer d'être rejeté par la majorité. Beaucoup de gens croient à tort que s'ils se fixent des objectifs ambitieux et qu'ils changent, leurs amis les tourneront en ridicule. Il s'agit d'une peur véritable et fondée, parce qu'il est vrai que certains le feront. Toutefois, les personnes dont le réflexe est de vous tourner en ridicule sont rarement des amis véritables et, généralement, leur réaction négative est due au fait que vos objectifs leur rappellent qu'ils ne font pas grand-chose de leur propre vie.

Si vous avez peur de ce que les gens diront de vos objectifs, il y a deux façons simples de surmonter la situation. La première, c'est de ne faire part à personne de vos objectifs, projets ou désirs, et de les garder pour vous jusqu'à ce que vous ayez obtenu des résultats. La seconde façon, qui est préférable, consiste à vous entourer de personnes positives qui vous encourageront dans tous vos efforts positifs ; c'est aussi une façon de dire que vous croyez en vous. Partager votre objectif avec une personne de même sensibilité est un grand pas vers sa réussite. Chaque fois que vous parlez de votre objectif à quelqu'un, vous confirmez votre objectif et vous renforcez votre message positif à votre génie subconscient.

Être indépendant de l'opinion publique, c'est la première condition formelle pour accomplir quelque chose de grand.

G. W. F. Hegel

Les idées créatrices résident dans l'esprit des gens, mais sont prisonnières de la peur ou du rejet. Créez un environnement dénué de jugement, et vous libérerez un flot de créativité.

Alex Osborn

Les gens ont peur de l'échec

Des études menées à travers le monde ont démontré que la peur de l'échec constitue l'une des plus grandes peurs de l'homme moderne. Chez certaines personnes, cette peur est si forte que, pour éviter l'échec, elles se garderont d'essayer d'accomplir quoi que ce soit. Dans mes ateliers, j'ai vu beaucoup de gens enthousiasmés à l'idée de réaliser leur rêve, mais qui se sont retrouvés complètement paralysés par la peur de l'échec et par leur manque de confiance en eux-mêmes au moment de consigner leur objectif par écrit.

> **Si vous n'avez jamais peur, jamais honte ni jamais mal, c'est que vous ne prenez jamais de risques.**
> JULIA SOREL
>
> **Lorsque vous commettez une erreur, ne vous y attardez pas. Retenez-en la raison, et allez de l'avant. Les erreurs sont des leçons de sagesse. Le passé ne peut être changé, mais le futur est encore en votre pouvoir.**
> HUGH WHITE

Il y a quelques années, tandis que je dirigeais une séance d'enseignement de *la fixation des objectifs* pour le compte d'une importante entreprise de communications, j'encourageais tous les participants à fixer un objectif lié à leur désir le plus cher, donc à suivre leur rêve. Un jeune homme qui participait au programme, et qui avait été jusque-là plutôt enthousiaste, est subitement devenu négatif et découragé. « À quoi ça sert ? », a-t-il protesté les bras croisés, « Ce n'est qu'un rêve, ça n'arrivera pas », a-t-il ajouté.

Il m'a fallu du temps et une bonne dose de cajoleries afin d'arriver à lui faire avouer que son rêve était de devenir « pilote de Formule Un ». Il m'a fallu encore plus de temps et de cajoleries pour parvenir à lui faire consigner ce rêve par écrit. Je ne l'ai jamais revu, mais trois ans plus tard, j'ai entendu dire que, malgré qu'il ne soit pas devenu pilote de Formule Un, il avait néanmoins trouvé un emploi au sein d'une équipe de Formule Un, et qu'il travaillait désormais dans l'industrie qu'il aimait, et qu'il gagnait beaucoup plus d'argent. Il était également devenu un bon pilote amateur de rallye.

On ne peut pas savoir ce qu'on peut accomplir avant d'avoir essayé. Visez les étoiles ; vous n'arriverez peut-être qu'à la lune, mais c'est déjà un grand pas en avant. Peut-être que la prochaine fois, vous atteindrez les étoiles.

Toute réussite est bâtie sur l'échec. Le passé additionné au présent n'équivaut pas au futur. L'échec n'en est un que lorsqu'aucune leçon n'est apprise ou que vous décidez d'abandonner sans réessayer. L'échec est toujours un succès lorsqu'il est envisagé comme partie intégrante du processus d'apprentissage. Chaque tentative « ratée » s'accompagne de réactions précieuses. Les leçons apprises aujourd'hui deviennent les fondements de la réussite de demain et, tout comme la nature qui croît, meurt et se régénère, nous avons parfois besoin d'échouer afin d'apprendre des leçons importantes qui deviennent les composantes de notre futur accomplissement. L'antidote contre la peur illégitime de l'échec est un succès, si petit soit-il. Atteindre un simple objectif est un grand stimulant pour passer au suivant, et le processus se transforme en une spirale ascendante.

En dernier lieu, veuillez considérer que presque tout le monde a peur de sortir de sa zone de confort ou d'explorer de nouveaux horizons. Tout comme vous, ils fixent des objectifs d'un certain niveau parce que c'est dans la nature de notre subconscient. La clé du succès, c'est de vous assurer que les objectifs que vous visez correspondent à ce que vous voulez réellement. Comme le dit Brian Tracy, l'un des plus grands experts mondiaux de la fixation des objectifs : « Soit vous apprenez à fixer vos propres objectifs, soit vous êtes destiné à passer le reste de votre vie à travailler pour quelqu'un qui le fait ! »

Ne laissez jamais l'ombre d'un échec bloquer la lumière de la réussite.

INCONNU

Donnez un poisson à un homme, il aura à manger pour une journée. Apprenez-lui à pêcher et il aura à manger pour toute sa vie.

INCONNU

Chapitre 2

L'intention du cœur

Les pensées qui véhiculent l'énergie de l'amour deviennent des vœux puissants que votre génie peut transformer en accomplissements.

Réfléchir avec le cœur

Toute émotion renforce l'intention, et l'amour est la force la plus créatrice qui soit.

Tout ce qui est splendide a été créé avec le pouvoir de l'amour. Créer avec amour, ou avoir des intentions centrées sur le cœur, va du simple acte de gentillesse à la passion d'un projet que vous soutenez, en passant par le fait de consacrer votre vie à une cause noble. Essentiellement, ça veut dire que vous mettez du cœur à l'ouvrage. Quand vous mettez votre cœur dans vos intentions, vous obtenez vos meilleurs résultats, qu'il s'agisse d'acquérir un mode de vie, une maison ou une nouvelle vie.

Votre vision ne deviendra claire que si vous regardez dans votre cœur... Qui regarde dehors rêve. Qui regarde à l'intérieur se réveille.
CARL GUSTAV JUNG

Un jour, un ami m'a parlé du décès d'un proche. Quand la famille s'est réunie après l'enterrement pour partager les biens de cette personne, sa sœur ne voulait qu'une seule chose: une enseigne encadrée au-dessus de sa cheminée qu'elle avait toujours connue. On pouvait y lire: « Une seule vie qui vite se terminera. Seul ce qui est fait avec amour durera. »

Quand nous travaillons avec l'énergie de l'amour, le travail est plus doux, semble plus facile, et a des conséquences très importantes qui touchent la vie d'innombrables personnes autour de nous.

Trouvez votre cœur pour trouver le flux

Travailler avec le cœur vous permet de trouver une énergie supplémentaire, une énergie magique spéciale qui vous aidera à évoluer avec aisance dans ce que vous choisissez de faire.

Si je crée avec le cœur, presque tout fonctionne; avec la tête, presque rien.
MARC CHAGALL

Car ni l'intelligence élevée, ni l'imagination, ni toutes les deux ensemble ne font le génie. Amour! Amour! Amour! Voilà l'âme du génie.
WOLFGANG AMADEUS MOZART

Au moment d'écrire, je travaille plus dur, plus longtemps, je suis plus concentré, et pourtant ça ne m'a jamais paru plus difficile, parce que j'aime ce que je fais. Quand on aime ce qu'on fait, le travail « coule » de source, sinon il « grince » et « grogne ».

Depuis quelques années, je cherche à suivre mon cœur et à *trouver le flux* dans ma vie en général et dans toutes les situations en particulier, qu'il s'agisse de creuser une tranchée, de scier droit, de diriger un séminaire d'étude ou simplement de me trémousser sur la piste de danse.

Le « flux » est cet état magique dans lequel tout ce que vous touchez semble facile et se met en place comme il se doit.

La meilleure façon de trouver le flux, c'est d'aimer ce que vous faites et de faire ce que vous aimez. On trouve le flux en ayant des intentions guidées par l'amour et non pas par la haine. On peut tous atteindre le flux dans notre vie quotidienne, quelles que soient les circonstances, parce qu'aimer ce qu'on fait ne relève pas tant de la chose en elle-même que de l'attitude et de l'état d'esprit dont on fait preuve.

Récemment, alors que j'étais résolu à atteindre l'objectif de terminer l'agrandissement de ma maison en fonction du temps et du budget prévus, il est devenu nécessaire que je fasse moi-même la plupart du travail de construction, y compris le travail éreintant de creuser des tranchées. En raison d'autres engagements professionnels, je devais accomplir cette tâche le week-end, quelles que soient les conditions météorologiques. C'est ainsi que je me suis retrouvé en train de creuser une tranchée un samedi matin froid et pluvieux, avec de l'eau jusqu'aux chevilles, complètement trempé.

> **Le pessimiste se plaint du vent, l'optimiste espère qu'il va changer.**
> WILLIAM ARTHUR WARD

> **Dans un cœur plein, il y a de la place pour tout, et dans un cœur vide, il n'y a de la place pour rien.**
> ANTONIO PORCHIA

Avant ce jour-là, la chose la plus lourde que j'avais soulevée, c'était un stylo ; aussi, travailler le sol caillouteux à l'aide d'une pioche et d'une pelle constituait un effort violent pour mon corps. Tandis que la douleur s'installait dans mes muscles, la négativité s'insinuait dans mon esprit, tel un poison. Je me disais : « Mais pourquoi je fais ça ? Ce n'est pas mon but dans la vie, pourquoi je ne laisse pas tomber ? Je pourrais payer quelqu'un pour le faire la semaine prochaine. Tant pis si on dépasse le budget et le délai prévus. »

Généralement, avec ce schéma de pensée négatif, soit on finit par se convaincre de laisser tomber, soit on continue, mais à contrecœur. Cela se solde toujours par un travail pénible, qui prend trois fois plus de temps, ou par un résultat médiocre et donc souvent par un travail à refaire. Heureusement, ce jour-là, j'ai pris mon *moi bas* en flagrant délit de négativité, je suis sorti de cette attitude et j'ai choisi de jouer le jeu de « trouver le flux ». Les règles sont simples :

- Cherchez des raisons d'apprécier ce que vous faites.

- Choisissez de vous motiver, en vous demandant : « Que peut-il y avoir de super là-dedans ? »

Il est parfois difficile de répondre à cette question quand on est d'humeur négative et que notre esprit crie: «RIEN!» Mais plus vous vous posez la question, plus vous penserez et plus vous vous sentirez positif.

Ce jour-là, la meilleure raison que j'ai trouvée pour apprécier mon travail a été de me dire: «C'est un bon exercice, ça coûte bien moins cher que d'aller à la salle de sport. Ça me fait le plus grand bien, et en plus, je prends une douche gratuite!» Si cette approche peut paraître simpliste ou absurde, elle est en fait très profonde et elle confère un grand pouvoir. Tandis que ma perspective mentale et mon discours intérieur changeaient, il en allait de même de mon attitude émotionnelle. Le moral est revenu, la pelle s'est mise à glisser et le travail est devenu plus facile tandis que je trouvais mon rythme et le flux.

> Les choses se passent mieux pour les gens qui tirent le meilleur parti de l'issue des choses.
> JOHN WOODEN
>
> La plus grande science au monde, au ciel et sur terre, c'est l'amour.
> MÈRE TERESA

Ce principe est valide dans toutes les situations. Vous trouverez le flux dans ce que vous faites en ayant une intention guidée par le cœur et non par la haine. Projeter de l'énergie positive génère du dynamisme. J'ai constaté qu'il était particulièrement important de jouer au jeu du «flux» quand je devais faire quelque chose qui ne me motivait guère. Par exemple me lever très tôt pour faire une longue route avant une présentation, ne pas passer la nuit auprès de ma famille, ou travailler avec des gens qui me mettaient au défi. Exercer le pouvoir de choisir en se concentrant sur le bon côté de la situation permet de trouver une énergie supplémentaire pour accomplir la tâche avec aisance. En ayant une approche négative, à reculons, la situation ne fait que se détériorer.

Motiver les émotions

Nous ne sommes pas motivés par la logique de nos besoins, mais par l'émotion, par les désirs de notre cœur qui réveillent notre enthousiasme.

Avoir une intention qui vient du cœur amène à créer avec une énergie positive, à savoir se concentrer sur la force positive de l'amour et la sentir. L'amour est l'essence de la création. Toutefois, cela ne signifie pas que les émotions généralement considérées comme étant « négatives » sont forcément mauvaises. Les émotions négatives ont leur rôle à jouer dans la création, et lorsqu'elles sont équilibrées ou naturellement canalisées, elles produisent des résultats très positifs. Les soi-disant « sept péchés capitaux » sont en réalité des instincts de survie présents dans le monde animal, et qui s'expriment, chez les humains, par les sentiments.

- **L'envie** provient de l'instinct de vouloir absorber les ressources environnantes.
- **L'orgueil** est une stratégie d'accouplement visant à attirer le meilleur partenaire.
- **La paresse** est une façon de conserver son énergie et d'accroître sa longévité.
- **L'avarice**, qu'il s'agisse de nourriture ou de sexe, est une façon de vous assurer que *vos* gènes soient transmis à la génération suivante.
- **La gourmandise** est la stratégie visant à se préparer à l'hibernation et à la famine entre les repas.
- **La luxure** est la garantie que, peu importe la solitude de la créature, elle ressentira à un moment le besoin de *s'accoupler* et donc de perpétuer l'espèce.
- Même l'énergie explosive de **la colère** s'avère positive, permettant de provoquer en nous une grande puissance pour abattre notre proie ou pour échapper à nos prédateurs.

La musique qui atteint les cieux, c'est le battement d'un cœur aimant.

HENRY WARD BEECHER

On en sait trop et on ne ressent pas assez. Du moins, on ne ressent pas suffisamment ces émotions créatrices qui rendent la vie belle.

BERTRAND RUSSELL

- Quant à **la culpabilité**, sans elle, il nous serait impossible d'appartenir à une famille ou à un groupe, parce que nous commettrions des actes atroces sans aucun remords.
- **La peur** figure parmi les émotions les plus bénéfiques, car elle nous empêche de nous exposer à des situations dangereuses qui nous mèneraient à notre perte.

Mme Colère

Cherchez des raisons d'être en colère, et vous ne ferez pas que les trouver, vous les ressentirez.

Il y a quelques années, dans un de mes ateliers, j'ai été confronté à une femme très en colère qui s'est écriée au milieu du programme : « Je déteste mon travail, mais je n'ai pas le choix, je dois le faire pour payer mes factures. Comment pouvez-vous me dire que je dois trouver ça bien ? Vous ne savez pas de quoi vous parlez ! »

Ce qu'elle avait tant de mal à voir, ou à entendre, c'était que son attitude même perpétuait son piège ; et il m'a fallu du temps pour le lui faire comprendre. Peut-être qu'elle n'appréciait pas son travail, mais ses pensées dominantes sur le fait qu'elle le *détestait* étaient, plus que le travail lui-même, à l'origine de ses sentiments de frustration et de colère. En fait, cela rendait son expérience de travail encore plus déplaisante. Elle était prise dans une spirale de pensée qui l'empêchait d'aller de l'avant et d'aller vers autre chose.

> **On fait toujours ce qu'on veut. C'est vrai pour tout acte. Vous aurez beau dire que vous deviez faire quelque chose ou que vous étiez forcé de le faire, mais en réalité, quoi que vous fassiez, vous le faites par choix. Seul, vous avez le pouvoir de choisir pour vous-même.**
>
> W. CLEMENT STONE

Graduellement, au fil de l'atelier, elle a commencé à comprendre et à accepter l'idée que « tolérer » son travail était la première étape pour s'en éloigner. Le fait d'accepter l'aidait à se sentir autrement, lui conférant ainsi une vision plus claire des choix possibles et l'aidant à trouver la motivation de se fixer un objectif dans ce qu'elle aimait vraiment faire. Quand on commence à se concentrer sur ce qu'on *veut*, on y concentre également son énergie et alors on s'en rapproche.

Tout le temps où elle se disait « je déteste ça et je ne peux rien y faire », elle donnait l'ordre à son subconscient de la faire se sentir amère, prise au piège et désespérée. Pis encore, dans la mesure où elle était totalement concentrée sur ce qu'elle *ne voulait pas*, son subconscient lui en donnait *davantage*.

Toutes les émotions citées ci-dessus sont naturelles, et il est normal que nous les ressentions à certains moments. Pour nous être utiles, elles doivent toutefois être compensées par les émotions positives se situant de l'autre côté du spectre :

- **L'amour** est ce qui nourrit principalement le moi et la vie.
- **La compassion** assure une aide désintéressée.
- **Le courage** stimule la croissance personnelle et génère un sentiment de sécurité chez les autres.
- **La loyauté** renforce la famille, la tribu ou le groupe.
- **L'indulgence** apaise et permet au groupe de poursuivre.
- **La tolérance** rend possible de vivre avec des contraires.
- **La paix** est essentielle au bien-être et à toute vie, pour prospérer.

Grand est celui qui n'a pas perdu son cœur d'enfant.
MENCIUS

N'est véritablement instruit que celui qui peut lire son cœur.
ERIC HOFFER

Sans ces qualités positives équilibrantes, toute créature deviendrait isolée et déséquilibrée, ce qui conduit à l'autodestruction.

Les animaux sont guidés par leur instinct et un minimum de décisions conscientes. Or, en tant qu'humains, nous avons le pouvoir de *choisir* nos réactions et nous pouvons donc maîtriser nos instincts. Le don du choix est un don responsable et exige que nous ayons conscience de nous-mêmes, c'est-à-dire ce que nous ressentons *réellement* et ce que nous révèle cette émotion.

Hélas, la plupart des gens, plutôt que de se sentir clairs quant à leurs sentiments, se sentent confus ou émotionnellement paralysés. Beaucoup essaient d'éviter les émotions désagréables, se privant ainsi de leur véritable message et de leur signification essentielle. *Implicitement*, la société nous dit que se sentir mal à l'aise, ce n'est pas bien. Cela peut créer un conflit chez les personnes qui vivent des sentiments négatifs et conduire à des cycles d'émotions inexprimées causant des blocages dans le développement. S'ils ne sont pas examinés, ces blocages mettent notre équilibre en péril et nous plongent dans une forme d'autosabotage.

Voici mon secret.
Il est très simple:
on ne voit bien
qu'avec le cœur.
L'essentiel
est invisible
pour les yeux.

ANTOINE DE SAINT-EXUPÉRY

Dans chaque
communauté,
il y a du travail
à faire. Dans chaque
nation, il y a des
plaies à panser. Dans
chaque cœur, il y a
le pouvoir de le faire.

MARIANNE WILLIAMSON

Dans le Chapitre 1, j'ai dit que tout le monde avait l'équivalent d'un *moi bas* et d'un *moi haut*. Votre *moi bas* correspond à vos instincts animaux négatifs complètement déséquilibrés et en mode d'autosabotage. Il projette de la peur dans l'avenir et s'inquiète de quelque chose qui est sans fondement, se met en colère au moindre désagrément ou se sert de la culpabilité et de la colère pour contrôler les autres. Dans cet état, nos émotions deviennent vraiment négatives et, au bout du compte, autodestructrices.

L'antidote contre cette spirale descendante, c'est de se fixer un objectif positif et centré sur le cœur, et d'activer ainsi votre *moi haut*: vos traits de caractère et vos énergies positives, soit votre meilleur moi.

Choisir votre meilleur moi

Par une simple intention consciente, vous pouvez choisir de générer et de dégager plus d'amour, de patience et de compassion. L'amour est la plus grande émotion créatrice parce qu'il se génère, se nourrit et se maintient par lui-même. Plus vous vous engagerez dans l'amour, plus l'amour s'engagera en vous, remplissant alors tout votre être d'une énergie vive.

L'amour est en harmonie avec le cours naturel de la vie, l'évolution personnelle et la création, alors qu'une peur excessive ou abusive va de pair avec la dissolution, la destruction et l'autosabotage.

L'univers (et toute la vie qu'il comporte) doit trouver son équilibre naturel; de la même manière, nous devons trouver notre équilibre naturel afin d'avancer dans la vie. Par exemple, nous naissons tous avec un *système de réaction automatique* qui nous encourage à aller vers le plaisir et à nous éloigner de la douleur. Le point d'équilibre est dynamique; il change en fonction des circonstances et de notre vécu. Toutefois, quelles que soient les circonstances, nous mettons naturellement l'emphase sur la recherche d'un plaisir toujours plus grand, avec la motivation fugace de s'éloigner de la douleur ou de la *peur*.

La peur déclenche notre réaction «fuir ou combattre» et peut être source de grand pouvoir, mais elle ne peut être maintenue à long terme sans un excès d'adrénaline qui cause des dommages à notre corps, notre esprit et nos émotions. Or nos émotions négatives se manifestent afin d'éviter des situations dangereuses, par exemple, la sensation qu'on a lorsqu'on pense qu'on va tomber. Cependant, il n'a jamais été question de vivre toute notre vie dans la peur.

La peur que l'on s'inflige à soi-même est un produit dérivé du fait de vivre selon notre *ego*, notre moi déséquilibré, et se solde par un résultat néfaste. Souvenez-vous que l'énergie est une force créatrice,

Vous n'êtes pas ici pour aimer le monde. Vous êtes ici pour être l'amour dans le monde.

GRACE JOHNSTON

Quand je désespère, je me souviens que, tout au long de l'histoire, la voix de la vérité et de l'amour a toujours triomphé. Il y a, dans ce monde, des tyrans et des assassins, et pendant un temps, ils peuvent nous sembler invincibles. Mais, à la fin, ils tombent toujours. Pensez toujours à cela.

MAHATMA GANDHI

et que si vous vivez dans la peur, cette énergie (de peur) finira par créer et attirer la chose même que vous essayez d'éviter.

Malheureusement, je rencontre beaucoup de gens qui passent sans cesse d'un type de peur à l'autre. Parce qu'ils pensent qu'elle donne des résultats, ils sont nombreux à justifier leur motivation par la peur: «Il faut que je termine ça, sinon je vais avoir des ennuis.» Ou alors: «Il faut que je gagne de l'argent pour payer mes factures.» Ils affirment que cette forme de motivation par la peur, en plus d'être logique, les pousse à l'action. En vérité, cette douleur peut être motivante, mais pas si on vit sa vie en fonction d'elle.

J'ai travaillé avec un directeur général dont le père avait fait faillite alors qu'il était enfant, et la pression avait été un des principaux facteurs du divorce de ses parents. Cela a profondément marqué mon client, et pour ne pas vivre l'expérience de son père, il s'est forgé une forte motivation, basée sur la peur de ne jamais être pauvre.

Son énergie négative se projetait également sur son entourage. Ainsi, malgré qu'il versait des salaires raisonnables et qu'il prétendait aimer sa famille, sa compagnie n'était guère sympathique et ses meilleurs éléments finissaient toujours par démissionner.

> **Il y a davantage de faim d'amour et d'appréciation dans ce monde que de pain.**
> MÈRE TERESA

Lorsque j'ai dirigé mon atelier de Leadership personnel pour son équipe de gestion, il m'a présenté en ces termes: «Écoutez tous! Brian est venu vous entretenir de l'importance d'être positif et motivé, et vous en avez vraiment besoin!» Puis il a quitté la pièce. En vérité, c'était la personne qui avait le plus besoin de l'enseignement prodigué à mon atelier, mais il n'en avait pas conscience. Aux dernières nouvelles, il avait fait faillite (une fois de plus),

> et il avait des problèmes de couple. Sa motivation, ainsi *déséquilibrée* par la peur, a causé sa chute, soit le résultat même qu'il essayait d'éviter.

Il peut être très difficile, même lorsque quelqu'un nous le fait remarquer, de reconnaître qu'on est en train de se justifier à soi-même sa propre faiblesse, ou de saboter ce qu'on aime parce qu'on observe et opère depuis notre *moi bas*.

Les choses les plus douloureuses à regarder en nous-mêmes nous sont aussi les plus difficiles à voir et à reconnaître.

Être capable de vous motiver et d'inspirer ceux qui vous entourent est crucial dans toutes les formes d'entreprises ou d'initiatives personnelles. Toutefois, je rencontre régulièrement des gestionnaires et des directeurs qui, de différentes façons, s'avèrent être extrêmement démotivants. Généralement, ces personnes ont de bonnes intentions et ont été promues à des postes de gestion parce qu'elles faisaient du bon travail dans leur précédente fonction, qui était peut-être de nature technique, mais qui n'ont pas été formées ou préparées de façon adéquate pour susciter le meilleur chez les autres. Dans les pires cas de figure, ils commencent à utiliser la « motivation par la peur », consciemment ou inconsciemment, sous la forme de menaces ou de brimades psychologiques, pour que leur personnel s'implique dans le projet à l'ordre du jour.

Cette forme négative de motivation ne fonctionne jamais à long terme. D'une part parce qu'elle est forcée et, d'autre part, parce qu'elle est fausse : les employés ne s'impliquent pas parce qu'ils le veulent, mais parce qu'ils obéissent de peur d'être licenciés. Cela veut dire qu'ils en font *juste assez* et une fois la peur ou la menace écartée, ils reviennent à leur état d'origine.

> C'est sur d'innombrables et divers actes de courage et de croyance que l'histoire humaine est construite. Chaque fois qu'un homme défend un idéal, agit afin d'améliorer le sort des autres ou s'élève contre une injustice, il envoie une petite vague d'espoir; ces vagues, provenant d'un million de différents centres d'énergie, forment alors un courant qui peut anéantir les murs d'oppression et de résistance les plus puissants.
>
> ROBERT F. KENNEDY

De plus, les gestionnaires inexpérimentés ont tendance à utiliser cette même approche de la carotte et du bâton pour tout le monde. Mais une personne réellement motivée, qui a conscience de sa valeur, sera extrêmement *démotivée* par des menaces ou des incitations basées sur la peur, et elle finira par choisir d'aller dans un environnement plus favorable.

La motivation par soi-même

En réalité, il n'y a qu'une seule forme véritable de motivation, c'est la motivation par soi-même ; le reste est superficiel.

> Quand on gère correctement ses pensées, on peut maîriser ses émotions...
> W. CLEMENT STONE

> Les milliers de mystères qui nous entourent nous intéresseraient au lieu de nous troubler si nos cœurs étaient sains et joyeux.
> FRIEDRICH NIETZSCHE

À un moment ou un autre de notre développement, chacun de nous doit apprendre à se motiver soi-même, parce que c'est au cœur même de la croissance personnelle. Le principal enseignement de Charles Darwin dans *L'Origine des espèces* n'était pas tant que *les plus forts* survivent que le fait que ceux qui sont *le plus adaptables au changement* s'épanouiront.

La faculté d'adaptation au changement doit venir de l'intérieur, car elle requiert une réaction *personnelle* ou individuelle. La véritable motivation par soi-même implique que l'individu trouve son propre équilibre entre la douleur et le plaisir, et qu'il maintienne une attention « positive » sur:

- *Qui* il veut devenir;
- *Ce* qu'il veut faire;
- *Où* il veut aller.

Chose intéressante, on a montré, récemment, dans une étude scientifique de l'industrie et du commerce, que la *conscience de soi* – se connaître soi-même et connaître ses motivations – est l'indice le plus éloquent du « jeune loup » en puissance, ce qui est idéal pour le développement des compétences en matière de gestion.

Trouver des sentiments

Nous créons des émotions positives qui nous motivent, en choisissant d'opérer mentalement, ou de provoquer énergiquement, les meilleures qualités de notre « moi haut ».

Les pensées créent des sentiments. Chaque pensée véhicule ou déclenche une autre énergie : l'émotion. Essayez ceci :

> Asseyez-vous et pensez à quelque chose de triste qui vous est arrivé récemment ou il y a longtemps. Vous verrez qu'au bout de quelques minutes, vous commencerez à vous sentir triste.
>
> De la même manière, si vous choisissez de vous concentrer sur quelque chose de positif, alors cette pensée déclenchera rapidement des sentiments positifs qui vous feront vous sentir heureux.
>
> Il est stimulant d'entretenir des pensées positives ; cela influence vos actions et produit des effets positifs dans votre vie.

Lorsque j'ai découvert le concept de développement personnel, j'ai vite compris l'importance de se concentrer sur des pensées positives, mais je trouvais que c'était difficile à mettre en pratique ; être constamment centré sur le cœur m'était diffile à réaliser. J'avais connu l'expérience de perdre ce qui m'était cher et j'avais perdu confiance en moi, à tel point que j'avais peur d'être trop optimiste et d'être déçu à nouveau. Le processus m'avait rendu quelque peu amer et négatif. Je me disais que d'une manière générale, la *souplesse* était une faiblesse et ne m'apporterait que de nouveaux problèmes.

Heureusement, la pratique du développement personnel m'a permis d'aiguiser ma conscience de moi-même et m'a aidé à voir au-delà de cette fausse peur. Le défi même d'acquérir une vision positive m'a amené à explorer la fixation des objectifs et, finalement, à découvrir la technique du Goal mapping.

> **Nous devons marcher, consciemment, seulement une partie du chemin menant à notre but, puis il faut sauter dans l'obscurité de notre succès.**
>
> **HENRY DAVID THOREAU**

> **Un moment difficile peut être plus facilement surmonté si l'on entretient la conviction que notre existence a un but: une cause à défendre, une personne à aimer, un objectif à atteindre.**
> JOHN MAXWELL

Je me suis constamment servi du Goal mapping pour surmonter ma peur et aller vers de nouveaux horizons. Tout au long du parcours, j'ai pu apprendre que des qualités telles que le courage et la force ne viennent pas de la dureté; elles se développent quand on fait preuve d'attention, de compassion et d'amour. Comme le dit brillamment Benjamin Hoff dans l'excellent ouvrage intitulé *The Tao of Pooh*: « Avec l'attention viennent le courage et la sagesse... Ceux qui n'ont pas de compassion n'ont pas la sagesse. La connaissance, oui, et l'intelligence, peut-être. Mais la sagesse, non. Un esprit intelligent n'est pas un cœur. La connaissance s'en fiche. Mais pas la sagesse. »

Plus j'apprenais qu'être centré sur le cœur ne voulait pas dire être faible mais fort, plus je trouvais le courage d'ouvrir mon cœur, et dès lors, j'ai commencé à me développer à la manière d'une spirale ascendante. Petit à petit, tandis que je me raccrochais à l'objectif central d'animer mon *moi haut* en me concentrant sur le meilleur de moi-même, j'ai été capable de dissiper mes différentes peurs et de trouver le courage de suivre la vision de mon cœur.

Images anciennes et mots modernes

Vous entendez ce que je dis, vous comprenez ce que je veux dire ?

Nous pensons tous au moyen d'images. C'est la façon dont un jeune enfant apprend à comprendre les choses, et c'était notre façon de penser à l'origine en tant qu'espèce. Vous n'avez qu'à penser à la façon dont un jeune enfant réagit à l'image d'une pomme sur une fiche et reconnaît qu'elle représente le fruit, bien avant de comprendre les lettres, sous l'image, qui font référence à la même chose. Penser au moyen de mots est un acquis récent dans le développement de notre espèce, et, par ailleurs, ce mode de pensée arrive tard dans le développement de l'enfant. On comprend d'abord le langage parlé, puis on commence à se le représenter par des pensées.

De la naissance jusqu'à l'âge de cinq ans environ, les deux hémisphères du cerveau – l'hémisphère gauche logique et l'hémisphère droit émotionnel – sont naturellement équilibrés. Peu à peu, tandis qu'on apprend à parler, et surtout lorsqu'on apprend à lire et à écrire, l'hémisphère gauche devient dominant et, par conséquent, on a davantage conscience de notre *pensée verbale* – les bavardages de notre esprit – que des images fugaces qui nous traversent l'hémisphère droit de notre cerveau.

C'est un peu comme si on avait deux cerveaux, à savoir deux rouages qui ne tournent pas à la même vitesse. C'est seulement lorsqu'on ralentit, par exemple en se prélassant dans un bain chaud, ou juste avant d'aller se coucher, que les rouages se synchronisent, et qu'on a soudainement une idée géniale.

Nous avons deux hémisphères parce que nous en avons *besoin*. Lorsqu'ils sont équilibrés, ils nous aident à être à notre meilleur. L'hémisphère droit, qui possède la qualité de l'imagination, nous permet de nous tourner vers l'avenir, de l'imaginer et de le ressentir. L'hémisphère gauche, essentiellement de nature logique, nous permet d'identifier la meilleure voie et la meilleure stratégie à adopter pour atteindre notre but, et de déterminer les principales étapes qui y conduisent.

Il n'y a pas de connaissance sans émotion. On peut être conscient d'une vérité, mais tant qu'on n'a pas *ressenti* sa force, elle n'est pas nôtre. À la connaissance qu'atteint le cerveau, il faut ajouter l'expérience que l'âme nous révèle.

ARNOLD BENNETT

Il faut posséder une qualité essentielle pour gagner: la certitude quant au but à atteindre, c'est-à-dire savoir ce qu'on veut et désirer ardemment l'obtenir.

NAPOLEON HILL

Pour atteindre un équilibre mental positif, vous devez *diriger avec l'hémisphère droit* et *gérer avec l'hémisphère gauche*.

Vous devez toujours diriger à partir de votre hémisphère droit émotionnel, car il s'agit de la partie de votre cerveau qui est tournée vers l'avenir, mais aussi de celle qui est connectée à votre cœur. En revanche, votre hémisphère gauche, que votre mémoire incline au passé, administre votre pensée par les lois de la logique et est connecté à votre ego ainsi qu'à votre peur.

Goal mapping

Combiner les images de l'hémisphère droit avec les mots de l'hémisphère gauche.

La technique du Goal mapping saisit cette combinaison naturelle d'images et de mots, ce qui confère un grand pouvoir à celui qui l'utilise. Si vous vous penchez sur les formes anciennes de communication dans le monde, vous découvrirez rapidement qu'elles sont basées sur des images. Les hiéroglyphes égyptiens, les peintures de sable amérindiennes, les peintures rupestres des aborigènes et les mandalas orientaux représentent non seulement la façon dont les gens communiquaient entre eux, mais aussi la façon dont les gens, pendant des millénaires, exprimaient leurs intentions.

Même après l'avènement de la langue structurée et du mot écrit, les gens ont continué à exprimer leurs intentions en utilisant les symboles et les images. Ce n'est qu'au cours des 70 dernières années, avec les techniques de psychanalyse et de gestion, que les déclarations écrites d'objectifs sont devenues la norme dans le monde occidental.

Toutefois, l'efficacité de toute technique de fixation des objectifs repose sur sa capacité à communiquer des intentions conscientes et des émotions motivantes, et ce, avec suffisamment de puissance afin qu'elles constituent l'exigence principale, voire dominante, faite à notre subconscient.

Ces dernières années, grâce à l'utilisation de scanners puissants, on a pu prouver ce que les anciens savaient déjà: l'hémisphère droit du cerveau, et les images, constitue la voie royale menant au subconscient, tandis que les mots de l'hémisphère gauche y conduisent beaucoup moins facilement. Ceci explique qu'un objectif communiqué que sous la forme de mots doit être réécrit des centaines de fois pour obtenir le même pouvoir que celui qui est créé par des images ou des symboles. Comme on dit: « Une image vaut mille mots. »

Le Goal mapping est un moyen de communiquer à votre « génie » subconscient. En effet, il s'agit d'une façon de véhiculer vos désirs et intentions avec cœur, éloquence, imagination, émotion et logique, de manière à ce que votre subconscient comprenne clairement ce que vous choisissez d'accomplir, et vous aide à avancer dans la vie.

Chapitre 3

Gravir les échelons de LIFT

Le chemin qui mène à vos objectifs sera semé d'embûches : il y aura des ornières dont il faudra vous sortir, des obstacles à surmonter et des gouffres à éviter. Suivre les sept principes de LIFT, c'est comme avoir une échelle à votre portée sur votre chemin.

Les sept principes de LIFT

LIFT est l'acronyme de *Life Information For Transcendance*[1] et le nom de l'entreprise que j'ai fondée avec ma femme Sangeeta, pour aider les gens à réussir de mieux en mieux. En fait, les sept principes de LIFT sont des stratégies d'enrichissement personnel ou des suggestions de façons d'être. Ils représentent la base de notre enseignement de la réussite dans la vie et de l'évolution

1. *NdT* : Information de vie pour la transcendance. De plus, « lift » signifie ascenseur.

personnelle consciente. Collectivement, ces principes constituent les fondements de la technique du Goal mapping et confèrent une approche globale de la vie. Chaque principe repose sur le précédent, à la manière des échelons d'une échelle qui permettent, à l'utilisateur de la technique, de surmonter un obstacle et d'accéder à des niveaux plus élevés de conscience et d'efficacité.

Chacun des sept principes est essentiel au processus de réussite consciente. Ce sont des principes multidimensionnels et universels qui s'appliquent, individuellement ou collectivement, à une situation ponctuelle autant qu'à un projet de vie de plusieurs années. Ensemble, les principes de LIFT forment un programme cohésif, nous permettant d'atteindre nos objectifs et de guider notre croissance personnelle, ainsi qu'une philosophie pour évaluer nos importants choix de vie.

Principe 1 – Élever le niveau de conscience

Quels que soient la décision à prendre, l'obstacle à surmonter ou l'objectif à atteindre, la conscientisation est la première étape pour y parvenir.

Ne vous conformez pas au siècle présent, mais soyez transformés par le renouvellement de l'intelligence, afin que vous discerniez quelle est la volonté de Dieu, ce qui est bon, agréable et parfait.
ROMAINS 12:2

Pour dissiper le brouillard de la confusion personnelle et des tergiversations, ainsi que pour développer la motivation par soi-même, il faut, d'abord, prendre davantage conscience de vous-même et de votre situation actuelle et reconnaître les conséquences probables de vos actions ou de votre inaction.

À défaut de quoi, votre niveau de conscience actuel sera insuffisant et ne pourra vous conduire à un niveau supérieur de croissance, que ce soit la prochaine étape de votre parcours ou le prochain objectif de votre vie. Bref, bien que vous vouliez changer votre situation actuelle, cela vous exigera toutefois un plus haut degré de conscience.

Notre efficacité dans la vie est étroitement liée à notre conscience générale et à notre conscience de nous-même. Plus nous avons conscience de nos habitudes, de nos désirs et de nos motivations, plus nous pouvons choisir couramment d'être à notre meilleur et ainsi d'obtenir nos meilleurs résultats. Plus nous avons conscience des autres, de leurs habitudes et de leurs désirs, de leurs forces et de leurs faiblesses, plus nous avons le pouvoir de créer l'harmonie et la synergie. Plus nous avons conscience de notre environnement, qu'il s'agisse d'une ville ou d'une jungle, plus nous sommes capables de vivre en harmonie avec celui-ci, en adaptant certains aspects à nos exigences respectives, et ce, tout en maintenant notre équilibre naturel.

> **Savoir, c'est pouvoir.**
> FRANCIS BACON

Paradigmes d'images personnelles

Nous nous forgeons tous des images de compréhension que nous projetons sur le monde.

Le *paradigme* nous sert à désigner la conscience d'ensemble de notre *moi*, d'une situation ou du monde en général. Ce paradigme est donc un point de vue général sur quelqu'un ou quelque chose, et il sert alors de grille de référence pour nos opinions, nos attitudes et nos actions. En clair, chaque paradigme est une vision personnelle que l'on projette sur le monde et sur tout ce qu'il comporte. Et en ce sens, il s'agit bien de la *carte* ou du plan que notre subconscient consulte constamment pour réguler nos actions et nos réactions.

Ce matin, au réveil, vous n'avez probablement pas eu à réfléchir à *qui* vous êtes ou *comment* vous composez avec le monde, parce que vous vous êtes construit des *images de paradigme* quant à la façon dont vous agissez et réagissez aux différentes situations de votre vie. Ces images de paradigme informent votre subconscient du comportement à adopter dans toute situation, sans toutefois nécessiter une pensée rationnelle constante. De la même manière, ce sont vos images de paradigme qui vous permettent

> **Nous savons peu de choses sur ce que nous sommes! Et encore moins sur qui nous pourrions être!**
> LORD BYRON
>
> **La croyance de chaque homme se trouve dans ses propres yeux.**
> WILLIAM COWPER
>
> **Rien n'est bon ou mauvais en soi, tout dépend de ce qu'on en pense.**
> WILLIAM SHAKESPEARE

de conduire votre voiture, votre bicyclette, de marcher et de faire toutes les activités de routine qui nous semblent naturelles et qu'on accomplit sans effort conscient.

L'inconvénient des paradigmes personnels, c'est qu'une fois que vous les avez créés, ils deviennent établis ou fixes comme s'ils étaient gravés dans la pierre, alors qu'en réalité, tout ce qui nous entoure est fluide, souple et changeant.

Regarder l'avenir depuis le passé

Au fil des ans, j'ai appris à faire confiance à mon intuition et, lorsque j'ai commencé à travailler avec des cadres supérieurs, j'ai été agréablement surpris de constater qu'ils en faisaient autant. Une fois leurs analyses critiques effectuées par leur hémisphère gauche, ils prennent leur décision en fonction de leur instinct.

Il y a quelques années, j'ai reçu l'appel inattendu d'une ancienne entreprise cliente qui me demandait si je pouvais leur dispenser des séances de formation, et ce, à la toute dernière minute. Je me suis surpris à répondre « oui » avec joie, sans même me poser de questions. C'est seulement après avoir raccroché que j'ai eu l'intuition – une intuition de l'hémisphère droit – qu'il y avait quelque chose qui clochait.

C'est lorsque j'ai commencé à écouter mes sentiments de l'hémisphère droit que je me suis rendu compte que j'avais répondu « oui » à cet organisme en fonction d'un paradigme du passé, sans m'assurer que mes connaissances correspondaient bien aux réalités du présent. J'ai alors commencé à élever mon niveau de conscience en posant des questions à mon client, pour finalement apprendre que la nature du travail qu'il attendait de moi était totalement différent de ce que j'avais fait auparavant et ne correspondait pas à mon enseignement de base. Aussitôt, mon paradigme et ma réaction à l'offre ont complètement changé et j'ai donc décliné l'offre.

Le même phénomène advient dans d'autres domaines de notre vie. Souvent, on juge une situation d'une certaine façon, puis il se produit quelque

> Il existe une route qui va de l'œil au cœur, sans passer par l'intellect.
> G. K. CHESTERTON

> La première règle, c'est de garder un esprit serein. La seconde, c'est de regarder les choses en face et de les accepter pour ce qu'elles sont.
> MARC-AURÈLE

chose qui, dès lors, nous amène à voir cette situation d'une façon complètement différente, ce qui change radicalement notre vision – notre paradigme.

Nos paradigmes déterminent nos opinions, nos attitudes et nos comportements et, par conséquent, les résultats qu'on génère. Si nous voulons bien réagir à la multitude de situations et de choix qui se présentent à nous, et mettre le cap vers l'atteinte de nos objectifs, nous devons acquérir la *clarté sur la réalité*, et ce, en choisissant d'élever notre degré de conscience, par la pensée et les questions conscientes.

Un paradigme erroné mène à des opinions, des attitudes et des actions erronées, et, par conséquent, à des résultats erronés.

Principe 2 – Développer la conscience de possibilité

Le passé additionné au présent n'égale pas le futur. Le futur existe sous forme de possibilités infinies. En adoptant une approche ouverte d'esprit, nous sommes en mesure de choisir la meilleure possibilité.

Lorsque je rencontre une impasse dans n'importe quel domaine de ma vie, je gravis le premier échelon de l'échelle LIFT en me posant la question suivante : « Ai-je suffisamment pris conscience de cette situation ? » Je monte ensuite au deuxième échelon pour me rappeler de *développer la conscience de possibilité*, à savoir être ouvert d'esprit.

Pour élever votre niveau de conscience, vous devez demeurer ouvert d'esprit et envisager toutes les possibilités. Trop souvent, les gens abordent une situation investie d'une vision influencée par une expérience du passé. Mais le passé additionné du présent n'est pas égal au futur. Le futur reste à écrire ; il évolue, et toujours différemment de ce que l'on a pu connaître par le passé.

Un esprit qui s'est élargi pour accueillir une idée nouvelle ne revient jamais à sa dimension d'origine.
OLIVER WENDELL HOLMES

> À l'heure actuelle, notre mission n'est pas de rejeter la responsabilité sur le passé, mais de rectifier la trajectoire pour l'avenir.
> JOHN F. KENNEDY

Vous le voyez?

Dans les années 50 (30), William Beebe fut un pionnier de l'exploration sous-marine; il fut le premier à atteindre de grandes profondeurs dans une bathysphère. Les créatures qu'il décrivit dépassèrent tellement les paradigmes des scientifiques réputés de l'époque que ses observations furent jugées fantaisistes. Ce n'est que maintenant, grâce à l'utilisation de submersibles évolués, qu'on peut vérifier ses dires. Mais encore aujourd'hui, la faune abyssale est si fantastique et dépasse tellement le paradigme actuel que, souvent, on n'a pas le langage adéquat pour décrire la texture, le mouvement et les couleurs des espèces abyssales.

Au cours de l'histoire, ceux qui ont affirmé avoir conscience d'un degré de réalité que les autres ne perçoivent pas ont été tournés en ridicule, discrédités, et parfois crucifiés pour avoir énoncé leurs vérités.

Perception sélective

On ne voit pas vraiment la réalité de la vie telle qu'elle est. On voit la vie selon notre interprétation de la réalité. On voit la vie tel qu'on est.

On estime que le corps reçoit, par ses cinq sens, environ 2 millions d'informations ou de *stimuli* du monde qui nous entoure, à chaque instant de la journée. Toutefois, notre esprit conscient ne peut traiter ou garder qu'environ 9 informations à la fois. Une zone de notre cerveau, le système réticulé activateur (SRA), filtre les informations jugées non pertinentes et ne transmet que ce qui est considéré être important, afin d'empêcher notre (esprit) conscient d'être submergé de données.

> L'homme n'est pas ce qu'il pense qu'il est, mais ce qu'il pense, il l'est!
> RALPH WALDO EMERSON

Si ce processus automatique est censé nous servir, il peut parfois être gravement restrictif. Si vous ne sélectionnez pas le filtre de paradigme pour votre SRA en choisissant consciemment d'avoir l'esprit ouvert, il s'ajustera automatiquement à vos pensées, vos opinions et vos croyances dominantes.

> Tout ressemble à un clou pour qui ne possède qu'un marteau.
> ABRAHAM MASLOW

C'est précisément ce processus qui agit lorsque, par exemple, vous avez acheté une nouvelle voiture et que, chose fréquente, vous commencez à remarquer des voitures similaires partout où vous allez. Les voitures ont toujours été là, mais le fait d'en avoir une crée une nouvelle pensée dominante qui programme notre SRA à transmettre toutes les informations à ce sujet. La même chose se produit lorsqu'on attend un enfant : on se met à voir des bébés partout. Ou lorsqu'on planifie des vacances, on voit des rappels constants de notre future destination.

Dans la mesure où le SRA fait partie de votre subconscient et que celui-ci ne peut pas porter de jugements de valeur sur ce qui est bien ou mal, une pensée négative restrictive telle que « Je *ne* peux *pas* » deviendra un filtre pour votre SRA, et vous mènera à refouler des informations précieuses pour le contraire, à savoir « Je *peux* ».

Repérer les occasions

Il y a quelques années, un de mes amis a été licencié d'un emploi qu'il aimait beaucoup. Cette expérience a été un choc, et il a sombré dans la déprime, devenant ainsi amer. Il répondait invariablement la même chose à ceux qui lui demandaient comment il se portait : « Je suis bon pour la casse. Il n'y a pas de débouchés pour moi en ce moment – pas à mon âge. Je vais passer le reste de ma vie à vivre de l'aide sociale. »

> Nous ne voyons pas les choses comme elles sont, nous les voyons comme nous sommes.
> ANAÏS NIN

> Tout homme prend les limites de son champ de vision pour les limites du monde.
> ARTHUR SCHOPENHAUER

Il a dit ça à tout le monde, mais la personne qui l'a *le plus* entendu, c'est lui-même. C'est rapidement devenu un filtre de pensée dominante pour son SRA. Je ne pourrais dire combien de fois je lui ai trouvé des possibilités d'emploi acceptables, mais lorsque je les lui mentionnais, il répondait : « Ce n'est pas ce que j'ai entendu. » ou « Ce n'est pas ce que j'ai vu. » Il était allé au même endroit que moi, avait parlé aux mêmes personnes et avait reçu les mêmes informations. Mais bien que ses yeux et ses oreilles avaient repéré les possibilités, voire les opportunités en question, il s'était néanmoins conditionné à ne voir que les manques, les limites et les difficultés, et c'est ce message que son SRA transmettait à son conscient.

Quand vous fixez un objectif, vous ne faites pas qu'affirmer vos intentions, vous donnez également un ordre à votre système réticulé activateur, qui vous aide alors à voir au-delà des limites préconçues, et à repérer toute possibilité de prospérité ou tout autre potentialité.

Principe 3 – Trouver l'équilibre

Dans le monde, il ne peut y avoir de réussite durable sans équilibre.

Nous vivons sur une planète qui tourne en orbite équilibrée, avec des climats équilibrés qui soutiennent des écosystèmes équilibrés, où une multitude d'espèces coexistent de façon équilibrée, où chaque créature doit maintenir un équilibre dans son corps et son environnement pour survivre. En résumé, la réussite est l'équilibre, et l'équilibre est la réussite.

> Il n'y a pas de vie heureuse dépourvue d'une certaine obscurité, et le mot bonheur perdrait de son sens s'il n'était pas équilibré par la tristesse.
>
> CARL GUSTAV JUNG

Dans mes ateliers de Goal mapping, quand je demande aux gens : « Qu'avez-vous le plus envie d'atteindre pendant votre session de Goal mapping ? », la réponse la plus courante est : « Un meilleur équilibre entre ma vie privée et ma vie professionnelle. » J'ai entendu des choses similaires dans les sessions de formation que je donne aux enfants qui veulent davantage d'équilibre entre l'étude et le jeu.

L'équilibre facilite la vie. Vous saurez toujours à quel moment vous serez en équilibre, parce que vous vous sentirez bien à l'intérieur de vous-même, et cela se reflètera dans votre vie extérieure. De la même manière, vous saurez à quel moment votre vie sera déséquilibrée, parce qu'alors tout commencera à s'effondrer.

Le point d'équilibre varie légèrement d'un individu à l'autre. Ce qu'une personne doit faire en plus pour atteindre son équilibre, une autre personne devra peut-être le faire en moins. Toutefois, comme guide général, je vous recommande de considérer six domaines clés parmi lesquels atteindre un équilibre. Essayez cet exercice :

> Donnez-vous une note de 1 à 10 dans chacun des domaines suivants. Ne mesurez que l'équilibre de votre propre vie. En effet, afin que l'exercice soit pertinent, ne vous comparez pas à qui que ce soit. De plus, soyez intuitif et écoutez le premier chiffre qui vous vient à l'esprit.

Mental .... **Émotionnel** .... **Physique** ....
Financier .... **Social** .... **Spirituel** ....

> Ensuite, inscrivez vos notes dans la roue ci-dessous, en commençant par le rayon du haut, dans le sens des aiguilles d'une montre.

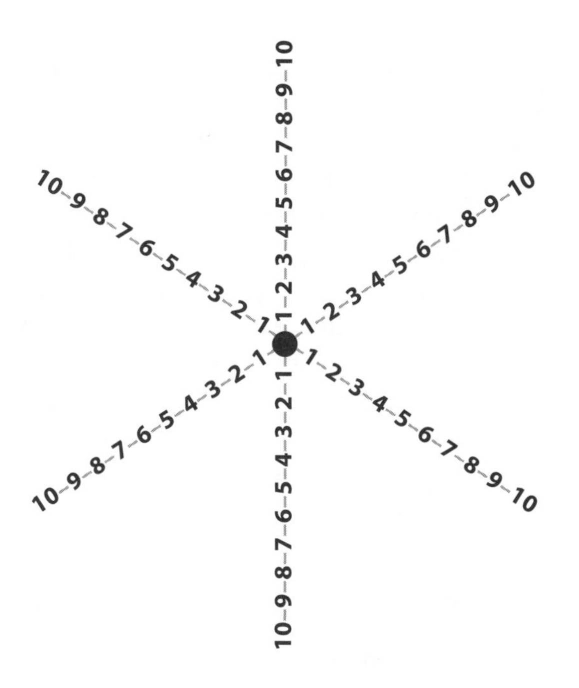

La roue de l'équilibre de la vie

> **Ce qui est bon pour une âme ne le sera pas forcément pour une autre. Cela peut vouloir dire qu'il faut parfois faire seul quelque chose qui semble étrange aux autres. Mais ne vous découragez pas. Faites-le, parce qu'au fond, vous savez que c'est bon pour vous.**
>
> EILEEN CADDY
>
> **Heureux soient les personnes souples, car elles n'auront pas à être déformées.**
>
> INCONNU

Enfin, reliez les nombres entre eux, comme dans un dessin de points à relier. Vous obtiendrez une « roue de vie », à savoir une image de votre sens actuel de l'équilibre.

Je ne veux pas constater à la fin de ma vie que je n'ai fait qu'en vivre la longueur. Je veux aussi en avoir vécu la profondeur.
DIANE ACKERMAN

On ne peut pas être heureux si on s'attend à toujours vivre au summum d'intensité. Le bonheur n'est pas une question d'intensité, mais d'équilibre, d'ordre, de rythme et d'harmonie.
THOMAS MERTON

L'idéal est d'avoir de bonnes notes dans tous les domaines et un cercle ou une roue régulier/ère. La plupart des gens ont un domaine plat ou déclive. Si tel est votre cas, veuillez considérer cela comme un résultat positif, qui indique où concentrer vos efforts et votre énergie pour amener votre *moi* et votre vie à un plus haut degré d'équilibre et de réussite.

En vous concentrant sur le domaine plat de votre roue et en vous fixant un objectif pour l'améliorer, vous *rehausserez* automatiquement les autres domaines. Par exemple, après avoir moi-même fait l'exercice il y a quelque temps, j'ai constaté que mon domaine plat était le rayon physique. J'avais arrêté de faire de l'exercice, je mangeais mal et ma santé en avait pâti. Je me suis donc fixé l'objectif de me lever une demi-heure plus tôt, trois fois par semaine, pour faire de l'exercice. Rapidement, mon bien-être physique s'est amélioré, et ce nouveau degré d'équilibre a amélioré tous les autres domaines de ma vie. J'étais plus vif *mentalement*, je me sentais plus heureux *émotionnellement*, j'avais davantage d'énergie, ce qui, au final, apportait une différence positive sur le plan *financier*. De plus, *socialement*, j'étais de bien meilleure compagnie, et *spirituellement*, je me sentais davantage inspiré. En rétablissant l'équilibre de mon *moi* avec ma *vie*, j'avais produit une « synergie du moi ».

Synergie du moi

Les fruits de l'équilibre.

En trouvant un équilibre dans les principaux domaines de la vie, on accomplit une « synergie du moi ». La *synergie*, qui signifie que l'ensemble est plus grand que la somme de ses parties, est une dynamique qui a lieu naturellement. Elle n'est pas générée en fonction d'une similitude, mais d'une différence complémentaire ou *équilibrée*. Lorsqu'ils sont équilibrés, les écosystèmes deviennent synergiques. Les espèces interdépendantes sont synergiques. Les gens, lorsqu'ils sont suffisamment équilibrés pour respecter les différences des autres, sont synergiques. De la même manière, lorsque nous atteignons un certain équilibre intérieur, il y a « synergie du moi ».

Si nous avons tous de nombreux points d'équilibre, il nous est toutefois fondamental de trouver l'équilibre mental quant au raisonnement des deux hémisphères de notre cerveau, parce que cet équilibre a un impact sur tous les autres.

Équilibre cérébral total

Choisissez votre destination au moyen de votre hémisphère droit, mais servez-vous de votre hémisphère gauche pour organiser le voyage.

Si la nature du véritable génie fait toujours l'objet de débats scientifiques, il est néanmoins évident que les plus grands personnages de l'histoire étaient aussi brillants avec l'un et l'autre des hémisphères de leur cerveau. Par exemple, Léonard de Vinci, que beaucoup considèrent comme l'esprit le plus brillant de tous les temps, était non seulement un grand artiste, mais aussi un grand scientifique ; même ses notes de travail sont un mélange de mots et d'images sur la même page. De la même manière, Mozart, bien qu'il soit reconnu pour sa musique remarquable, aurait facilement pu mettre son esprit à contribution pour devenir un grand mathématicien. Les grands personnages font souvent preuve d'un grand équilibre de pensée.

Si nous nous entêtons à regarder l'arc-en-ciel de l'intelligence avec un seul filtre, bien des esprits nous paraîtront, à tort, dépourvus de lumière.
RENÉE FULLER

Tout le monde naît avec un cerveau naturellement équilibré, et cela demeure le cas pendant environ les cinq premières années de la vie. Les scientifiques estiment que notre capacité d'apprentissage, durant cette période d'activité cérébrale équilibrée, est de 20 à 25 fois plus élevée que chez les adultes. Malheureusement, avec l'âge, les fonctions cérébrales de la majorité des gens deviennent *déséquilibrées*. D'autant que, d'une manière générale, l'hémisphère gauche est dominant dans le monde occidental; cela peut être dû à une myriade de causes, par exemple l'influence génétique, le conditionnement pendant l'enfance, la scolarité, le choix de métier et la société en général. Toutefois, n'importe qui peut recouvrer un équilibre cérébral total, simplement en se fixant l'objectif de le faire. C'est l'acte même d'avoir un objectif et de créer une Carte d'objectifs qui vous aide à acquérir un meilleur équilibre.

Dans le pouvoir de se changer soi-même réside le pouvoir de changer le monde qui nous entoure.
ANWAR SADAT

Nos plus grandes batailles sont celles de l'esprit.
JAMESON FRANK

Le cerveau est comme un muscle: si on le fait moins travailler, il perd de son tonus, bien qu'il ne meurt jamais complètement. Faire des exercices de réflexion, tout comme faire travailler ses muscles à la salle de sport, peut animer davantage notre cerveau et le rééquilibrer, en amenant le *moi* à un degré différent d'efficacité. De plus, les sept étapes de la technique de Goal mapping sont conçues pour faire travailler les deux hémisphères du cerveau et pour vous aider à atteindre un équilibre cérébral total, tandis que votre but vous aide à maintenir un équilibre dans votre vie.

Équilibre dynamique

Un mouvement avec repos.

L'hémisphère droit regarde en avant grâce à l'essence même de l'imagination qui le compose en bonne partie, tandis que la mémoire propre à l'hémisphère gauche regarde en arrière. Notre hémisphère droit est émotionnel, tandis que le gauche est logique. L'hémisphère droit a tendance à être passif, et le gauche, à être actif. Trouver l'équilibre entre les deux hémisphères du cerveau ne signifie pas trouver un point d'équilibre statique tel que sur une balance. L'équilibre cérébral, tel que tous les freins et contrepoids naturels, est un processus dynamique. Il est *itératif*, interactif, et il déplace constamment le point d'attention et d'équilibre d'un hémisphère à l'autre, comme un huit en mouvement.

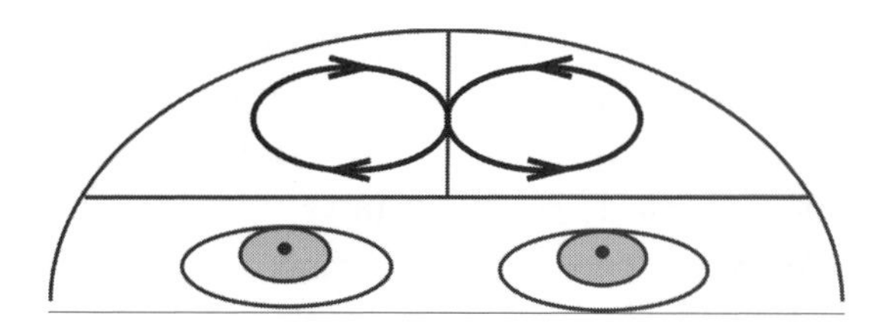

Équilibre cérébral

Tandis que vous commencez à trouver votre équilibre intérieur en choisissant votre priorité, vous commencerez à récolter les fruits de l'extérieur en générant davantage de flux et d'harmonie dans votre vie.

Depuis de nombreuses années, je fais faire de l'exercice à mon hémisphère droit par la visualisation et à mon hémisphère gauche, par la stratégie ; et j'essaie d'équilibrer le tout avec la technique de Goal mapping. De plus, si j'ai besoin d'évaluer une situation ou une occasion, j'utilise l'échelle de LIFT, et après avoir gravi les deux premiers échelons (voir plus haut), je passe au troisième en me demandant : « Si je saisis cette occasion, si j'emprunte cette voie, si je poursuis cet objectif, cela m'aidera-t-il à atteindre davantage ou moins d'*équilibre* dans ma vie ? »

> Le point mort est un état dans lequel on ne va pas trop vite, mais pas trop lentement non plus. Le point mort ne veut dire ni inactif, ni complaisant, ni passif. Plutôt, il s'agit d'un calme assuré qui permet aux nouvelles informations et possibilités d'émerger avant d'agir. Quand on est au point mort, on accroît sa sensibilité et son intelligence intuitive. Le point mort est un terrain fertile pour faire pousser de nouvelles possibilités.
>
> DOC CHILDRE
>
> Ce qui se passe à l'intérieur se voit à l'extérieur.
>
> EARL NIGHTINGALE

Principe 4 – Être en but

Le but est à un individu ce que l'essence est à un moteur : si on n'en a pas, on ne va nulle part.

Tout le monde naît avec un but, une raison d'être, un domaine dans lequel on peut exceller. Quand vous « êtes en quête » d'un but, vous trouvez votre passion, votre pouvoir, votre flux, et vous avez alors l'impression que la vie vous sourit. Lorsque vous n'êtes pas en quête de ce but, vous êtes égaré ; votre pouvoir de création est dissipé et la moindre de vos entreprises semble s'éterniser.

Il est étrange
de constater que
même si nous devons
tous parcourir
le chemin de la vie,
très peu de gens
savent où ils vont.
DR PIERRE SCHMIDT

Il faut suivre
les marées de notre
destinée. Quoi qu'il
arrive, on se rend
maître de son sort
en l'acceptant.
VIRGILE

Pour être en quête, vous devez d'abord trouver ou connaître votre but ; vous devez découvrir « cette chose qui vous fait vibrer », la chose qui vous passionne. Il s'agit de l'un des plus grands objectifs que nous portons en nous dès la naissance. Tout le monde a un but, et le poursuivre est un objectif de vie.

Quelque part entre le Ier et le IIIe s. av. J.-C., Patanjali a écrit :

« Quand vous êtes inspiré par un grand but, un projet extraordinaire, toutes vos pensées rompent leurs attaches. Votre esprit transcende les limites, votre conscience se déploie dans toutes les directions, et vous vous retrouvez dans un monde nouveau, grandiose et merveilleux. Les forces, les facultés et les talents dormants prennent vie et vous découvrez [que vous êtes] une personne beaucoup plus grande que vous ne l'auriez imaginée. »

À la recherche de la véritable essence

La motivation vient de l'inspiration qui est motivée par le but.

J'ai débuté ma carrière d'orateur et de formateur au sein d'une entreprise de développement personnel située à Londres, en prononçant des conférences (d'une heure) sur le thème de l'autoamélioration. On me présentait comme étant un orateur stimulant, mais il y a toujours eu quelque chose qui me gênait dans ce titre. Si mes conférences étaient généralement bien reçues, je me suis vite rendu compte qu'il n'était pas tout à fait justifié de qualifier mes interventions de « stimulantes ». J'étais probablement apprécié parce que j'étais divertissant, mais l'objet de la conférence n'était pas tant la motivation que l'approche combinée de la carotte et du bâton, de la douleur et du plaisir.

J'utilisais la même approche dans la vie. Si je devais faire quelque chose qui ne me motivait pas vraiment, j'imaginais la douleur que je ressentirais en ne le faisant pas ou je me concentrais sur le plaisir que j'aurais une fois mon objectif atteint.

Ces stratégies sont efficaces, cela ne fait aucun doute, et les gens les appliquent sur eux-mêmes et sur les autres depuis des générations. Le défi, c'est leur application en tant que processus continu, en soumettant constamment soi-même ou les autres à la menace de la douleur ou à l'espoir du plaisir, afin de créer un dynamisme.

En revanche, j'ai remarqué que des gens que j'admirais n'avaient pas besoin de faire ça. Ils semblaient naturellement avoir une motivation plus équilibrée. En les étudiant de plus près, j'ai découvert l'origine de leur motivation: *l'inspiration*. Les personnes inspirées n'ont pas besoin de se motiver consciemment, car c'est le résultat naturel de leur inspiration; ils se chauffent ainsi d'un autre bois, puisqu'ils sont « naturellement motivés ». Je me suis donc posé la question suivante: « D'où vient l'inspiration ? »

Je savais que l'inspiration subite était d'origine divine et que, dans toutes les générations, certaines personnes en avaient inspiré d'autres, mais je savais aussi que ce type d'inspiration était comme l'étincelle qui allume le feu: pour que l'inspiration devienne une passion nourrissante, les individus doivent eux-mêmes alimenter le feu. Or avoir un but constitue l'essence qui alimente le feu de la vie, et ce but constitue donc l'origine de l'inspiration nourrissant la motivation.

L'homme qui réussit est celui qui, entre le lever et le coucher, fait ce qu'il a envie de faire.

BOB DYLAN

Les grands esprits ont des buts, les autres ont des souhaits.

WASHINGTON IRVING

Une personne qui n'a pas de but précis dans la vie a un bien plus gros handicap que la plus désavantagée ou handicapée des personnes.

LESLIE FIEGER

Avoir un but dans la vie

Trouvez cette chose qui vous fait vibrer, puis trouvez une façon de l'intégrer dans votre vie.

Les buts et les objectifs sont différents. Un objectif est tangible, quantifiable, et il y a une date butoir. Un but, en revanche, est un effort continu, une mission à long terme, voire une vision de la vie. Le but, c'est la direction, et les objectifs sont les repères qui jalonnent la route.

Il y a de nombreux types de buts. Pour certaines personnes, le but est d'ordre physique : gagner, acheter, construire ou *posséder*. Pour d'autres, ce but est lié à leur travail, leur projet, leur carrière ou à ce qu'ils *font*. Votre but premier est toujours d'*être à votre meilleur* – c'est le but de toute vie. En cherchant à *l'être*, vous *faites* naturellement un meilleur travail, et invariablement, vous *obtenez* de meilleurs résultats. *Être-Faire-Obtenir* est la *syntaxe* du succès.

Il faut toujours *être* le premier, car cela engendre les meilleures attitudes qui renforcent ce que l'on *fait* et, par conséquent, améliorent les résultats *obtenus*. De plus, en tant qu'êtres humains, nous avons la possibilité d'influencer notre besoin naturel de devenir la meilleure personne possible, et de nous en servir comme force pour accomplir les désirs et les rêves que nous ressentons au fond de notre cœur.

Quel que soit le niveau ou type de but que vous choisissez de poursuivre, il faudra gravir les échelons de LIFT :

- En élevant votre niveau de conscience ;
- En développant la conscience de possibilité ;
- En trouvant un équilibre.

Arrivé au quatrième échelon de LIFT, posez-vous la question suivante : « Si je saisis cette occasion ou prends cette direction, cela va-t-il me rapprocher de mon but ou m'en éloigner subtilement ? » Cette question est cruciale. On me fait souvent des offres qui sont séduisantes en apparence, mais lorsque je les regarde de plus près, je constate qu'elles ne correspondent pas au but et à la direction que j'ai choisis. En fait, il est beaucoup plus facile de dire « non » à quelque chose qui n'est pas bon pour vous lorsque vous avez pleinement conscience de votre grand « oui », c'est-à-dire votre but.

On ne peut pas attendre que l'inspiration vienne. Il faut courir après avec une massue.
JACK LONDON

Une petite chose sensée est bien plus digne d'être vécue qu'une grande entreprise privée de sens.
CARL GUSTAV JUNG

Il existe toutes sortes de façons de trouver votre but. Parfois, il se révélera très vite, parfois, il vous faudra des années pour le découvrir, mais, dans tous les cas, il faudra d'abord vous fixer l'objectif de « savoir » ce en quoi consiste ce but.

Principe 5 – Devenir totalement « habile à répondre »

« L'habilité à répondre », c'est la capacité de choisir sa réponse. C'est la clé de la liberté et du succès.

Alors que je ne savais ni lire ni écrire correctement, j'ai souvent dû deviner le sens des mots selon la façon dont ils étaient utilisés dans une phrase. Le contexte dans lequel j'entendais le mot « responsabilité » était : « Brian, en assumeras-tu la *responsabilité* ? », ce qui pour moi avait une connotation de *reproche*. J'en suis donc arrivé à croire que c'était ce que signifiait « responsabilité ».

Quand j'ai appris à lire correctement, j'ai cherché le sens véritable du mot « responsabilité ». J'appris qu'il s'agissait de « la capacité de *choisir* sa réponse ». Je ne m'étais jamais rendu compte que « responsabilité » émanait de l'expression « *habilité à répondre* », renvoyant elle-même au *pouvoir de choisir*. Dans la mesure où j'associais la notion de responsabilité à celle de reproche, je faisais tout pour l'éviter. Mais lorsque j'ai commencé à la voir pour ce qu'elle est en réalité, j'ai pu alors l'apprécier de façon positive. Ce changement de paradigme a bouleversé ma vie, et plus j'exerçais mon « habilité à répondre », plus je me sentais fort.

Le contraire de l'*habileté à répondre*, c'est le *reproche*. Or, au cours de ma jeunesse, j'avais pris l'habitude de reprocher aux gens et aux choses les aspects de ma vie ou de moi-même que je n'aimais pas. Je reprochais au gouvernement la récession et la faillite de mon entreprise ; je reprochais aux banques l'arrêt du financement

> **Celui qui est maître de soi peut étouffer un chagrin aussi aisément qu'inventer un plaisir.**
>
> OSCAR WILDE
>
> **Si quelque chose d'extérieur vous afflige, ce n'est pas la chose en elle-même qui cause la douleur, mais l'idée que vous vous en faites ; et cela, vous avez le pouvoir de le révoquer.**
>
> MARC AURÈLE

Il existe deux grandes forces: la force intérieure et la force extérieure. Nous n'avons guère d'emprise sur des forces extérieures telles que les tornades, les tremblements de terre, les inondations, les catastrophes, la maladie et la douleur. C'est la force intérieure qui compte. Comment vais-je réagir à ces catastrophes? Cela, on peut le décider.
LEO BUSCAGLIA

... Porter un jugement catégorique sur son comportement est en fait une façon de se défiler, parce qu'on a l'impression de faire quelque chose de vertueux.
BARBARA SHER

L'ancêtre de toute action est une pensée.
RALPH WALDO EMERSON

et la perte de ma maison. Et je reprochais à ma femme le naufrage de notre mariage.

Le véritable problème avec le reproche, c'est qu'il demeure toujours « là » – il est en dehors de soi et c'est toujours la faute d'autrui – ce qui veut dire qu'on n'a guère d'influence sur celui-ci. Cela se solde par le sentiment que quelqu'un *vous fait* quelque chose ou *vous fait* vous sentir d'une certaine façon, et que vous ne pouvez rien y faire. Bref, le reproche fait de vous une victime.

Après avoir élevé mon niveau de conscience et m'être concentré sur les principes fondamentaux de la réussite *dans la vie*, j'ai commencé à mettre en pratique mon *habilité à répondre*. La première étape consistait à renoncer aux vieilles excuses et à les remplacer par des affirmations choisies consciemment et motivées par un objectif, telles que « je suis patient », « je suis tolérant », « je suis habile à répondre ».

Le plus difficile était d'accepter que j'avais commis des erreurs, que mes perspectives étaient erronées et que j'avais tout gâché, mais que c'était *acceptable* dans la mesure où j'apprenais de mes expériences. Après avoir adopté cette nouvelle perspective et cessé d'associer la responsabilité au reproche et à la faute, j'ai commencé à me rendre maître de mes défis. Et cela confère un grand pouvoir. S'il y a quelque chose que vous n'aimez pas dans votre vie, mais que vous reconnaissez avoir contribué à sa création, cela veut dire qu'il est en votre pouvoir de le *changer* et de créer autre chose si vous le souhaitez. Toutefois, si vous persistez à le reprocher à quelqu'un ou à quelque chose plutôt que de regarder ce que votre *moi* peut faire, vous vous sentirez toujours pris au piège et vous agirez comme une victime.

Il m'arrive régulièrement de rencontrer quelqu'un qui croit, comme moi auparavant, qu'on est comme on est, et qu'on ne peut rien y faire. Certains justifient même leurs faiblesses en débitant les bonnes vieilles excuses : ce sont leurs gènes, leurs parents ou leur environnement qui les rendent tels qu'ils sont. Or il s'agit ici d'influences et non pas de déterminants. S'il nous arrive d'être limité dans nos options physiques, nous sommes toujours totalement libres de choisir notre réponse mentale et émotionnelle. Ainsi, on peut choisir d'être au meilleur de soi-même.

C'est d'apprendre à choisir une réponse positive à des situations négatives qui, finalement, nous permet de triompher. D'où la maxime : « Ce n'est pas ce qui arrive dans la vie qui fait toute la différence, mais la façon dont vous y réagissez. » L'*habileté à répondre* est le berceau de la liberté intérieure et le fondement du pouvoir personnel. Exercez-vous à choisir votre réponse sur des petites choses, et tandis que vous renforcerez votre pouvoir de choisir, il deviendra plus facile de choisir votre réponse concernant les grandes choses.

Lorsque je regarde le chemin que j'ai parcouru, je constate que j'ai nettement évolué, voire progressé. Même s'il me reste des aspects à améliorer, je sais que si je n'avais pas découvert la magie de l'*habileté à répondre* et de la fixation des objectifs, je ne me serais jamais aventuré sur cette voie.

Autoactualisation

Changez votre façon de penser sur tout,
et tout changera en vous.

La pensée stimule la création. Tout ce qui a été créé dans le monde était à l'origine la pensée de quelqu'un. Tout chef-d'œuvre, tout empire, toute

En tant qu'êtres humains, notre grandeur ne réside non pas tant dans notre capacité de refaire le monde – c'est le mythe de l'ère atomique – que dans notre capacité de nous refaire nous-mêmes.

MAHATMA GANDHI

Chaque matin, chaque homme a la liberté de choisir... Tant qu'il y a de la vie, il y a la possibilité de refaire le monde.

JIM COLEMAN

Entre le stimulus et la réponse, il y a un espace. Dans cet espace résident notre liberté et notre pouvoir de choisir notre réponse. Dans notre réponse résident notre croissance et notre liberté.

VICTOR FRANKL

réalisation a été un jour une simple pensée dans la tête de quelqu'un. De la même manière, toute habitude, toute action et toute émotion est d'abord une pensée.

La pensée génère l'émotion, et la combinaison des deux commence à influencer notre comportement. Les comportements répétés deviennent des habitudes, les habitudes déterminent nos circonstances, et le cycle se poursuit ainsi.

> À la longue, on façonne sa vie et on se façonne soi-même. Le processus continue jusqu'à la mort. Et les choix que l'on fait relèvent, en fin de compte, de notre responsabilité.
> ELEANOR ROOSEVELT

> En essayant de nous soustraire à la responsabilité de notre comportement, on fait cadeau de notre pouvoir à un autre individu ou à un organisme. C'est ainsi que, chaque jour, des millions de gens essaient d'échapper à la liberté.
> M. SCOTT PECK

Nous vivons tous dans un cycle d'autoactualisation comme celui de l'illustration ci-dessous. Ce cycle peut soit nous hisser vers le développement personnel, nous faire sombrer progressivement vers le déclin personnel. Ce choix nous appartient, quelles que soient les circonstances, parce que le cycle d'autoactualisation postule que nous sommes totalement libres de choisir.

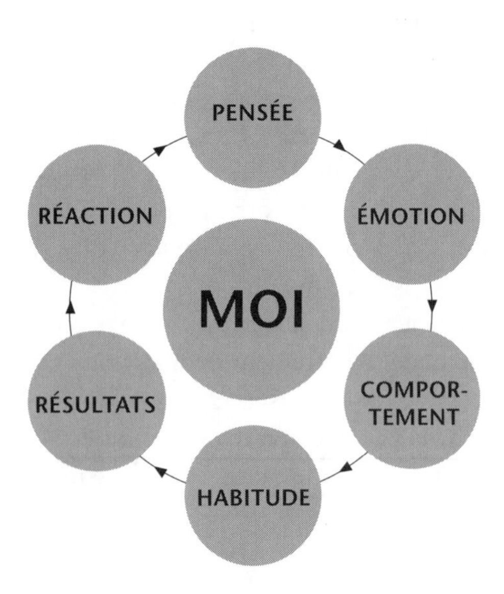

Cycle d'autoactualisation

La clé de ce principe qui est un échelon de LIFT, c'est de vous demander: « Est-ce que je choisis ma réponse de façon consciente et proactive, ou est-ce que je suis réactif, inconscient et que je renonce à mon pouvoir ? »

Principe 6 – Maintenir une concentration positive

Pensez à ce que vous voulez,
et non pas à ce que vous redoutez.

On vit dans un état constant de devenir – qui change continuellement, voire qui se manifeste perpétuellement, comme si l'univers réagissait à notre énergie et se manifestait ou créait selon nos souhaits. Notre capacité de souhaiter et de contrôler ce que l'univers crée pour nous réside dans notre capacité de choisir nos priorités. Cela relève de notre «*habileté à répondre*», parce que personne ne peut le faire à notre place. Chaque individu doit choisir ses priorités, car elles vont donner un sens à sa vie et influencer la qualité de ce qu'il crée et attire dans l'univers.

Si vous choisissez de vous concentrer sur ce qu'il y a de positif dans votre vie, en vous et dans toutes les situations, vous générez une énergie qui, à l'instar des ondes hertziennes, transmet vos intentions et attire les personnes, les choses et les situations qui sont en harmonie avec elles. Or il se produit la même chose si vous vous concentrez sur le négatif, à la différence près que vous instaurez une attraction négative.

En assumant votre *habileté à répondre* quant à l'objet de vos pensées, et en choisissant de vous concentrer sur le positif, vous causez un effet dans tous les domaines de votre cycle d'autoactualisation et créez une réaction en chaîne positive. Ainsi, votre esprit deviendra inspiré, vos émotions deviendront motivantes, votre comportement poursuivra un but, vos habitudes vous aideront à vous assumer, et vous concevrez votre vie consciemment. Les justifications et les reproches se transformeront en occasions d'apprendre.

À chaque étape du cycle, le pouvoir s'accroît et l'énergie d'attraction ou de création s'amplifie. Ceux qui se sont affranchis d'une dépendance, à la cigarette par exemple, savent qu'il est beaucoup plus facile de rompre le cercle de la pensée, au niveau

JOHN MILTON
(PARADIS PERDU
TOME 1,
VERS P. 253-55)

J'ai appris que rien n'est impossible quand on suit son guide intérieur, même si la direction qu'il nous indique bouleverse notre logique habituelle.

GERALD
G. JAMPOLSKY

On devient ce à quoi on réfléchit.
EARL NIGHTINGALE

Chaque fois que vous posez un acte de création, vous concentrez une force de vie. Et dans la mesure où la vie engendre la vie, cette énergie a tendance à accroître son expression par de nouvelles créations. Au stade de l'achèvement, votre être est prêt à un nouvel acte de création.
ROBERT FRITZ

Nos attitudes contrôlent notre vie. Les attitudes sont un pouvoir secret qui travaille 24 heures sur 24, pour le bien comme pour le mal. Il est primordial que nous sachions canaliser et contrôler cette grande force.
TOM BLANDI

mental, que lorsqu'il a atteint le niveau physique d'habitude et de besoin.

Pour toute forme de création, qu'il s'agisse d'une nouvelle habitude ou d'atteindre un objectif extérieur, la clé réside dans le fait de « maintenir des priorités positives » et, par conséquent, dans le fait d'élever votre niveau de conscience, d'augmenter votre niveau d'énergie et de commencer à opérer à partir de votre *esprit surconscient*.

Votre esprit surconscient

De l'intuition à gogo, il suffit de demander.

Le *surconscient* est la partie de l'esprit qui est liée à votre *moi haut* et à la conscience collective ou universelle. La pensée, c'est de l'énergie, et l'énergie ne meurt jamais; elle ne fait que changer de vibration et de forme. La conscience individuelle de chacun est comme une vague qui monte de l'océan: à la fin de son existence individuelle, elle ne disparaît pas, elle se fond à nouveau dans l'ensemble.

En maintenant des priorités positives, vous arrivez à un état d'esprit dans lequel votre *surconscient* commence à vous donner des aperçus et des idées de la conscience collective, à savoir des pensées que vous n'aviez jamais envisagées. Beaucoup de grands personnages ont témoigné du pouvoir du surconscient et lui ont attribué les plus grandes réalisations.

Thomas Edison, le plus grand inventeur du XXe siècle, a déclaré qu'il n'avait jamais eu d'idées originales, mais qu'elles lui étaient venues « comme ça ». Mozart a dit que bon nombre de ses compositions lui étaient venues totalement formées, dans les moindres détails, mais qu'il les entendait dans son esprit pour la première fois.

Cette faculté mentale n'est pas l'apanage des grands personnages de l'histoire. En fait, ces derniers ont découvert ce qui est accessible à tous. Ainsi, si c'est votre subconscient qui gère la reconnaissance des formes, par exemple repérer les voitures identiques à la vôtre, c'est toutefois votre *surconscient* qui gère la *préconnaissance* et l'inspiration. Beaucoup de gens ont vécu l'expérience d'avoir des aperçus d'un événement avant qu'il ne se produise. Dans sa forme la plus légère, il s'agit d'un pressentiment ; dans sa forme caractérisée, il s'agit plutôt d'une vision complète de ce que l'on doit faire, de la direction à prendre et de la manière de procéder. Pour accéder à votre surconscient, comme pour le subconscient, il suffit d'en donner l'ordre en ayant les bonnes pensées.

Ceci explique cela

Votre subconscient, votre surconscient et l'univers sont totalement impartiaux quant à vos souhaits. Ils ne font que répondre à votre intention énergique.

Vos pensées provoquent des émotions et des messagers chimiques qui, ensemble, affectent les cellules mêmes de votre être. De ce fait, votre corps (physique) se retrouve encodé par la vibration de votre esprit et de vos émotions, et continue à émettre de l'énergie, comme une pile.

Toute forme de vie est dotée d'un champ électromagnétique qui change constamment, qui transmet et attire de l'énergie de la même manière.

À l'époque où j'ai découvert la philosophie de la pensée positive, je ne me rendais pas compte que mon attitude était négative. Après avoir pensé positivement pendant quelques jours, je me suis demandé pourquoi il y avait toujours des personnes et des situations négatives dans ma vie, et j'ai commencé à penser que cette philosophie ne valait rien.

Visez la réussite, pas la perfection. Rappelez-vous que la peur est toujours tapie derrière le perfectionnisme. Le fait de confronter vos peurs et de vous donner le droit d'être humain peut faire de vous, paradoxalement, une personne beaucoup plus heureuse et productive.
DR. DAVID BURNS

À tes résolutions répondra le succès.
JOB 22:28

Je pense, donc je suis.
RENÉ DESCARTES

Mais il m'a fallu apprendre que tout le corps, et pas seulement l'esprit et les émotions, transmet une énergie à laquelle l'univers répond. En effet, ce n'est qu'en maintenant une attention positive pendant quelque temps que j'ai été en mesure de changer les vibrations de mes pensées et de me créer une nouvelle énergie et une nouvelle attraction dominantes, et donc d'attirer, dans ma vie, de nouvelles personnes, de nouvelles situations et de nouvelles expériences.

Toutefois, il m'a aussi fallu vivre une dépression nerveuse pour que je fasse une *découverte capitale* et que je voie la réalité de ma situation, voire ma propre réalité, et que je lâche prise sur la lourde énergie émotionnelle à laquelle je m'étais raccroché pendant trop longtemps, ce qui m'a libéré et m'a permis de gravir à un plus haut niveau.

Il n'est pas nécessaire de vivre quelque chose d'aussi extrême pour apprendre la même leçon. Il suffit d'être disposé à vous poser les questions suivantes: «Quelle est mon énergie motivante? Suis-je guidé par la peur ou par l'amour? Suis-je concentré sur ce qui est bien ou sur ce qui est mal? Sur le problème ou sur la solution?»

Principe 7 – Engager pour évoluer

Nous vivons dans une ère de grands réseaux, d'associations et de liberté de l'information. Servez-vous-en et contribuez-y.

Le septième et dernier échelon de LIFT est axé sur la prise en considération des autres lorsqu'il s'agit d'évaluer des possibilités, de chercher des réponses et de prendre des décisions quant à la direction à prendre ou quant aux objectifs de vie. À l'instar des six autres principes, il comporte un certain nombre d'aspects et peut s'appliquer de différentes façons. Tout d'abord, posez-vous la question suivante: «Est-ce que je connais des personnes qui pourraient m'aider à prendre cette décision, relever ce défi ou atteindre cet objectif?»

Il n'a jamais été aussi facile de bénéficier du savoir, de l'expérience et de la sagesse acquis par les autres. Il y a des livres qui comportent des conseils de spécialistes, des experts qui offrent des services professionnels, et davantage de gens ont accès à l'Internet et à la mine d'informations qu'il recèle.

Ce principe multidimensionnel vous invite également à vous *engager*, ou à vous tourner vers vous-même pour alors *évoluer*, ou à élever votre compréhension, en accédant à votre sagesse intérieure.

Tentez cette expérience :

> Asseyez-vous en silence, en gardant votre objectif ou défi à l'esprit, et maintenez une concentration positive.
>
> Tenez-vous le dos bien droit, et pratiquez la respiration profonde. Inspirez par le nez et laissez circuler l'air jusqu'au ventre, puis expirez par la bouche.
>
> Après une minute de respiration profonde, pressez le bout de votre langue sur votre palais. Cela vous aidera à activer votre hémisphère droit.

Durant les périodes de changement, les apprenants héritent de la terre, tandis que les savants se retrouvent magnifiquement armés pour composer avec un monde qui n'existe plus.
ERIC HOFFER

On ne peut pas connaître la réponse si on ne pose pas la question.
AUTEUR INCONNU

Dans cet état mental, vous ouvrez votre esprit à votre sagesse intérieure et à davantage de lucidité, et vous devriez commencer à recevoir des réponses, des aperçus et des idées. Pour beaucoup de gens, la tâche est facilitée en imaginant qu'ils ont une équipe de conseillers, qui comporte parfois des personnages célèbres de l'histoire, qui les aide à prendre des décisions et à trouver des réponses.

En guise de dernier point concernant ce principe, posez-vous la question suivante : « Si je prends cette décision, suis cette voie, saisis cette occasion ou poursuis cet objectif, en quoi cela va-t-il affecter les personnes auprès desquelles je suis engagé, par exemple la famille, les amis et les collègues ? »

Les sept principes de LIFT sont:

- Élever le niveau de conscience
- Développer la conscience de(s) possibilité(s)
- Trouver l'équilibre
- Être en quête d'un but
- Devenir totalement « habile à répondre »
- Maintenir une concentration positive
- S'engager pour évoluer

Que vous appliquiez ces principes afin de trouver une solution à une situation spécifique ou que vous vous en serviez comme guide de vie, ces principes sont des guides intemporels qui vous seront utiles, quelle que soit la voie que vous aurez choisie.

N° 1 **Carte d'objectifs de Sangeeta**

Concentrée sur : l'année qui mène à son 40e anniversaire

Objectif principal (au centre) – être en harmonie avec moi-même

Sous-objectifs (de part et d'autre du centre) – m'occuper de ma famille et progresser dans ma carrière

Pourquoi (images du haut) – davantage de bien-être, de paix et trouver le flux

Comment (en partant d'en bas à droite) – en faisant du jardinage, de l'écriture et du yoga

Qui (en partant d'en bas à gauche) – en entretenant des contacts de qualité, en étant présente et en prenant mes responsabilités

N° 2 **Carte d'objectifs de Brian et Sangeeta**

Concentrée sur : l'achat d'une maison

Objectif principal (au centre) – nous avons notre propre maison

Sous-objectifs (de part et d'autre du centre) – notre maison a une cheminée, de l'espace, un bureau, un accès facile aux grands axes routiers

Pourquoi (images du haut) – un sentiment de subsistance, d'individualisation et d'enracinement

Comment (en partant d'en bas à droite) – en trouvant l'endroit et la maison, en s'occupant de l'emprunt, en échangeant des contrats

Qui (en partant d'en bas à gauche) – agents immobiliers, la banque, le notaire

N° 3 **Carte d'objectifs de Jane**

Concentrée sur: toute la vie

Objectif principal (au centre) – briller comme une étoile

Sous-objectifs (de part et d'autre du centre) – richesse, harmonie, relations et équilibre

Pourquoi (images du haut) – trouver le flux, la liberté et la paix

Comment (en partant d'en bas à droite) – créativité, pouvoir et concentration

Qui (en partant d'en bas à gauche) – moi, Mike, Cynthia

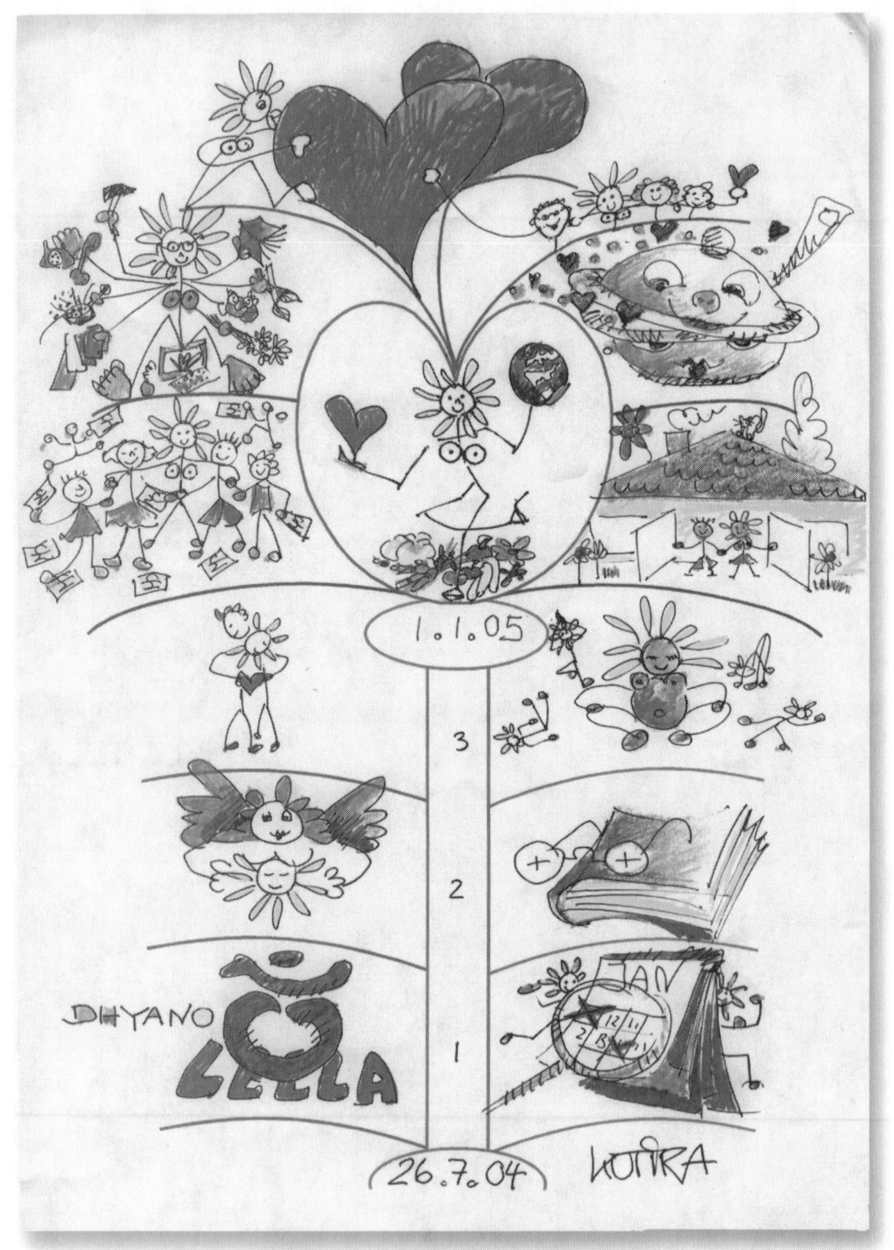

N° 4 **Carte d'objectifs de Kotira**

Concentrée sur: santé et équilibre

Objectif principal (au centre) – j'ai un mode de vie équilibré

Sous-objectifs (de part et d'autre du centre) – j'aime tout le monde, je vis dans ma propre maison, je suis créative, j'engendre la réussite pour moi et pour mes amis

Pourquoi (images du haut) – amour pour moi et pour ma famille

Comment (en partant d'en bas à droite) – concentrée et disciplinée, ouverte à l'apprentissage, faire de l'exercice régulièrement

Qui (en partant d'en bas à gauche) – Dhyano et Leela, moi et mes amis

N° 5 **Carte d'objectifs de Brian**

Concentrée sur: recycler et devenir vert

Objectif principal (au centre) – rendre davantage que je ne reçois

Sous-objectifs (de part et d'autre du centre) – recycler les déchets, réutiliser les matériaux de construction, cultiver nos légumes, planter des arbres

Pourquoi (images du haut) – pour la prochaine génération, pour la planète, pour l'abondance

Comment (en partant d'en bas à droite) – me procurer des contenants séparés, prendre l'habitude, faire passer le mot

Qui (en partant d'en bas à gauche) – moi-même, ma famille, ma communauté

N° 6 **Carte d'objectifs de Jess**

Concentrée sur: toute la vie

Objectif principal (au centre) – aider mes parents à profiter de leur retraite

Sous-objectifs (de part et d'autre du centre) – davantage de concours d'obstacles, aider mes parents, progresser dans ma carrière

Pourquoi (images du haut) – des parents heureux, un meilleur équilibre de vie, davantage de liberté

Comment (en partant d'en bas à droite) – trouver une nouvelle maison, développer mon cerveau par la lecture, générer davantage d'équilibre

Qui (en partant d'en bas à gauche) – amis et collègues, bibliothèque municipale

N° 7 **Carte d'objectifs de Chris**

Concentrée sur: générer de l'abondance

Objectif principal (au centre) – avoir le mode de vie d'un millionnaire

Sous-objectifs (de part et d'autre du centre) – jouer davantage au golf, conduire une voiture de luxe, loge d'honneur au club de foot, voyages fréquents à New York, développer un portefeuille d'actions

Pourquoi (images du haut) – liberté financière, sécurité et aide aux enfants

Comment (en partant d'en bas à droite) – progresser dans la quête de mes objectifs, en maintenant une oreille attentive, un esprit vif, une bonne santé, en élargissant mes connaissances, en étant disponible

Qui (en partant d'en bas à gauche) – famille, professeurs, mon intuition

N° 8 **Carte d'objectifs de Brian**

Concentrée sur : 21 jours de bien-être

Objectif principal (au centre) – prendre soin de moi

Sous-objectifs (de part et d'autre du centre) – consommer des aliments frais, respirer de l'air pur, boire de l'eau pure, alimenter ma flamme intérieure

Pourquoi (images du haut) – motivation, inspiration, montrer l'exemple

Comment (en partant d'en bas à droite) – me concentrer sur ma carte d'objectifs, tenir ma promesse à moi-même, faire les bons choix

Qui (en partant d'en bas à gauche) – moi-même, être à son meilleur

Chapitre 4

Les sept lois naturelles de la manifestation

Les sept lois naturelles de la manifestation sont comme sept panneaux qui jalonnent la voie de la réussite. Suivez-les et vous arriverez à la destination désirée. Ignorez-les et vous vous retrouverez perdu dans l'un des fossés de la vie.

Manifester, c'est *faire apparaître* clairement, à l'œil ou à l'esprit. Les manifestations qu'on fait apparaître dans notre vie sont des expressions de nos pensées intimes, de nos sentiments et de nos actions. Pour manifester nos intentions conscientes, nous devons nous assurer que nous travaillons avec les *lois naturelles* de la création et les *principes de réussite* de l'esprit.

Sept lois

Les clés de la création.

Les principes et les lois qui régissent le processus de création sont peu nombreux et élémentaires. Dans cet ouvrage, ils ont été analysés et développés de différentes façons pour vous permettre de comprendre les fondements sur lesquels a été bâtie la technique de Goal mapping. Les sept lois fondamentales pour manifester vos rêves et objectifs sont présentées ici de façon concise et succincte, de manière à vous mettre sur la voie du succès avant de vous investir dans votre Goal mapping.

Loi 1 – Croyez en vous et en votre objectif

Votre foi en vous est comme la valve qui active ou désactive vos capacités.

Le 6 mai 1954, Roger Bannister entre dans l'histoire en atteignant son objectif d'être la première personne à parcourir un mile (1,6 km) en moins de 4 minutes. Beaucoup de gens avaient essayé, mais en vain. D'éminents scientifiques avaient décrété que c'était « au-delà des capacités humaines », voire physiquement impossible.

Ce que je trouve vraiment incroyable, c'est que quelques jours après que Roger Bannister eut prouvé à ces sceptiques qu'ils avaient tort, une autre personne, à l'autre bout du monde, accomplit le même exploit. À la fin de l'année 1957, 16 autres personnes avaient découvert qu'elles en étaient également capables. De nos jours, même les élèves de l'école secondaire parcourent un mile en quatre minutes. Les personnes qui ont suivi les traces de Bannister étaient-elles plus en forme ? Avaient-elles appris de nouvelles techniques ? La réponse est non. La seule chose qui avait changé après le succès de Bannister, c'était la croyance nouvelle qu'il était possible de parcourir un mile en quatre minutes. Lorsqu'ils se sont mis à y croire, il est devenu possible pour les autres d'égaler sa réussite.

Tel qu'il est expliqué dans le Chapitre 1, nos croyances ont un grand pouvoir et elles nous affectent mentalement, émotionnellement *et physiquement.*

> La nature et la sagesse ne se contredisent jamais.
> JUVÉNAL

> Tout ce qui est splendide a été accompli par ceux qui croyaient qu'il y avait en eux quelque chose de supérieur aux circonstances.
> BRUCE BARTON

> Je suis capable de ce dont n'importe quel autre être humain est capable. C'est l'une des plus grandes leçons de la guerre et de la vie.
> MAYA ANGELOU

Chacune de nos croyances, qu'elle soit positive ou négative, est une pensée que nous avons acceptée comme vraie et qui constitue donc un ordre constant à notre subconscient. Plus cette croyance dure, plus son énergie émotionnelle croît et plus ses schémas d'habitudes s'enracinent. Les pensées génèrent des sentiments qui influencent les actions. Les pensées répétées, et acceptées comme étant vraies, deviennent des croyances, tandis que les sentiments deviennent des attitudes et les actions, des habitudes.

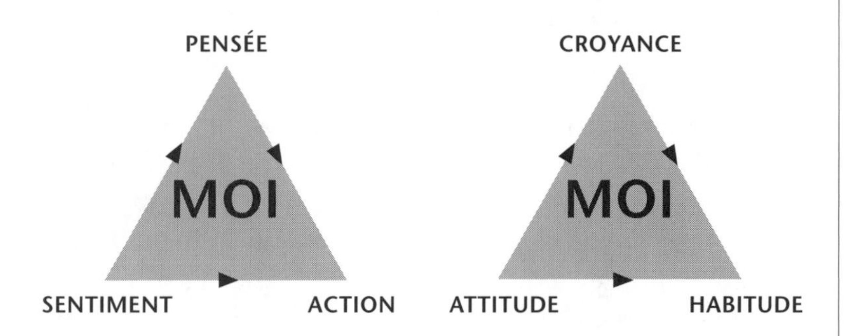

Cycle de la pensée à la croyance

Si vous vous fixez un objectif mais que vous ne croyez pas pouvoir l'atteindre, votre croyance limitative devient votre « ordre constant » ; elle est votre pensée la plus forte, la plus habituelle, et elle prendra probablement le dessus sur la pensée de votre objectif. C'est comme si votre pensée d'objectif était un petit « bip » dans votre conscience, tandis que votre pensée limitative constituait le bruit de fond. Votre subconscient continue donc à obéir à votre croyance et à manifester vos limites, plutôt que d'entendre l'ordre manifesté par votre objectif et par vos désirs.

> L'homme devient ce qu'il croit. Ce qu'il croit, il l'est.
> LA BHAGAVAD GITA
>
> Derrière tout ce qu'on pense réside tout ce qu'on croit, tel le voile suprême de notre esprit.
> ANTONIO MACHADO

Pour que vos pensées de réussite deviennent plus fortes que vos pensées limitatives anticipant l'échec, il est important que vous vous imaginiez en train d'atteindre vos objectifs. Une pensée intense, imaginée à répétition, ne suffit pas pour être distinguée de la réalité par votre subconscient. La technique de Goal mapping (voir Chapitre 6) a été conçue pour vous aider dans cette tâche, en donnant à votre hémisphère droit créatif la possibilité de produire une image positive de l'objectif en question, et de renforcer vos pensées subconscientes à chaque jour.

Questionner les convictions

> *La grandeur individuelle découle de notre capacité à réfléchir à notre propre raisonnement, et donc à choisir nos propres croyances.*

Nous observons la vie à travers des paradigmes qui filtrent notre perception de la réalité. Afin de construire de nouvelles croyances stimulantes et de tirer le meilleur profit de votre Carte d'objectifs, il est nécessaire de dissiper les vieilles croyances limitatives et négatives afin d'éviter de cultiver des réserves ou préjugés indus quant aux gens ou à toute situation. Plus le paradigme de votre *Moi*, des autres et du monde qui vous entoure sera honnête, plus grande sera votre capacité de manifester vos désirs et d'atteindre vos objectifs.

Chacun de vos paradigmes est comme une image, et chacune de vos croyances est une peinture individuelle « barbouillée » qui participe à l'image d'ensemble. Pour mettre vos paradigmes en perspective, peaufinez vos croyances en vous posant les questions suivantes:

- D'où me vient cette croyance?
- Était-ce mon idée ou l'opinion d'autrui?
- Cette croyance était-elle vraie à mes yeux quand je l'ai adoptée, et l'est-elle encore aujourd'hui?
- Parmi les gens qui sont comme moi, qui est capable de faire ce dont je ne me crois pas capable?

> **Ce que nous laissons derrière nous et ce qui nous attend, cela est minime comparé à ce qui est en nous.**
> Oliver Wendell Holmes

> **Vos chances de réussite dans toute entreprise peuvent toujours être mesurées par votre foi en vous.**
> Robert Collier

Posez-vous suffisamment de questions et vous vous rendrez compte qu'une croyance limitative n'est qu'une opinion. S'il n'y a rien de substantiel pour l'appuyer, elle se dissoudra d'elle-même et laissera votre pouvoir briller.

Loi 2 – Équilibrez vos objectifs

> *La première étape vers une vie équilibrée est d'établir un équilibre des intentions.*

La vie est le meilleur professeur. Chaque expérience, qu'il s'agisse d'un triomphe ou d'une tragédie, est une occasion d'apprendre. Toutefois, nous ne pouvons apprendre de nos échecs pour mieux atteindre nos objectifs que si nous sommes suffisamment équilibrés, émotionnellement et mentalement, pour porter un regard lucide sur notre *Moi* et notre vie. Tout déséquilibre conduit à une perception erronée qui peut se solder par le reproche ou la justification plutôt que par l'*habileté à répondre* et le pouvoir personnel effectif.

Pour trouver un équilibre dans votre *Moi* et dans votre vie, il faut d'abord pouvoir entretenir des réflexions et des émotions équilibrées ; cela vous aidera à atteindre vos objectifs, donc à renforcer votre équilibre dans la vie. Ainsi, ce processus est un cycle qui s'autogénère.

> **En blâmant les autres, vous renoncez à votre pouvoir de changer.**
> DR. ROBERT ANTHONY
>
> **Menez une vie équilibrée : un peu chaque jour, il vous faut apprendre des choses, réfléchir, dessiner, peindre, chanter, danser, jouer et travailler.**
> ROBERT FULGHUM

L'exercice à la page 71 a été conçu pour vous aider à vous pencher sur les principaux domaines de votre vie et à vérifier s'ils sont équilibrés. Si vous n'avez pas déjà fait l'exercice, je vous recommande de le faire *maintenant*, car il vous aidera à identifier les objectifs prioritaires et à atteindre l'équilibre optimal de votre *Moi*.

Pour ma part, je me donne pour règle de faire deux séances de fixation d'objectifs généraux ou *holistiques* par an, en janvier et en juillet ; je cherche généralement à trouver un équilibre entre ces objectifs :

- Les objectifs de développement personnel : les nouvelles compétences ou qualités que je veux acquérir.

> Parfois, quand je vois l'ampleur des conséquences de petites choses, je suis tenté de penser qu'il n'y a pas de petites choses.
> BRUCE BARTON

- Les objectifs de carrière: me concentrer sur mes compétences et ma réussite professionnelle.
- Les objectifs financiers: les niveaux de revenu, d'épargne ou d'investissement.
- Les objectifs de santé et de forme physique: l'alimentation, la purification et l'exercice.
- Les objectifs de jeu et d'aventure: les endroits que je veux visiter et les récompenses que je décide de m'offrir.
- Les objectifs relatifs à ma qualité de vie: le domicile et la vie de famille avec mon épouse.

Je me sers de l'exercice d'équilibre (voir p. 71) pour identifier les domaines ennuyants sur lesquels je porte l'essentiel de mon attention, afin de rétablir l'équilibre dans ma vie. En plus de m'aider à atteindre un bon équilibre, ce processus m'aide à maintenir une vie intéressante et harmonieuse.

Équilibrez votre emploi du temps

Les objectifs à court, moyen et long terme mènent tous à la réalisation de vos rêves.

Quand vous cherchez à trouver un équilibre de vie, notamment en ce qui concerne vos objectifs, il est important de veiller à l'équilibre du temps passé dans chaque domaine. Concoctez un mélange d'objectifs à court, moyen et long terme. Le fait d'atteindre un simple objectif à court terme encourage et stimule votre foi en vous-même, ce qui vous permet de passer plus facilement à l'objectif suivant. Les objectifs à court terme peuvent être atteints en quelques heures ou quelques jours, ceux à moyen terme, en quelques semaines, et les objectifs à long terme prennent un an ou plus.

> Rien n'est particulièrement difficile si vous le divisez en petites tâches.
> HENRY FORD

Si vous avez un objectif *permanent*, qui n'a donc pas de date butoir, alors ce n'est pas un objectif mais plutôt un idéal, voire un chemin de vie. Pour progresser dans la poursuite d'un objectif permanent, ou du moins constant, il est recommandé de vous fixer des objectifs ponctuels qui font office de jalons le long de votre chemin de vie.

Aidez les choses

Trouvez un équilibre entre provoquer les choses et laisser les choses se faire. « Aidez » les choses.

Enfin, pour que cette loi fonctionne, recherchez une approche équilibrée de vos objectifs. Dans tout acte de *manifestation*, cherchez à trouver un équilibre entre *provoquer* les choses et *laisser* les choses se faire. Si vous forcez trop les choses pour atteindre votre objectif, vous pourriez finir par créer quelque chose de nuisible ou de non viable en quelque sorte, parce que vous iriez à l'encontre du flux naturel. À l'inverse, si vous êtes trop passif et que vous attendez que les choses se fassent, vous risquez d'attendre très longtemps, et alors il n'y aura pas suffisamment d'énergie générée pour permettre la réalisation de ces choses.

La clé, et le point d'équilibre, c'est *d'aider* votre objectif à se réaliser. L'univers sait quand et comment actualiser vos objectifs. Sachez que l'univers travaille avec vous, et trouvez le flux en établissant vos intentions dans l'affirmation équilibrée suivante :

> **Laisse ton cœur te guider. Il chuchote, alors écoute attentivement.**
>
> LE PETIT DINAUSORE

« Si c'est pour mon bien et pour le bien général, alors… [Énoncez vos objectifs]. »

Demeurez concentré sur vos objectifs, sachant qu'ils existent déjà à un certain niveau et que votre tâche est de les attirer dans votre réalité immédiate (physique) par la pensée, la parole et les actes. La clé est d'agir selon l'énergie du désir et non du besoin.

Loi 3 – Vivez dans le moment présent

Apprenez du passé, imaginez le futur,
soyez dans le présent.

> Vivez pour le présent, rêvez du futur et apprenez du passé.
> AUTEUR INCONNU

> Le moment idéal pour planter un arbre, c'était il y a 20 ans. Le second moment idéal, c'est maintenant.
> PROVERBE CHINOIS

> Le pouvoir des souvenirs et des attentes est tel que, pour la plupart des êtres humains, le passé et le futur ne sont pas aussi réels que le présent, mais plus réels encore.
> ALAN WATTS

On dit que *l'énergie afflue là où va l'attention*. Quand votre attention est dirigée vers le passé, vous et votre énergie êtes dans le passé. Quand votre attention est dirigée vers l'avenir, vous et votre énergie êtes dans l'avenir. C'est seulement lorsque vous êtes concentré sur le *moment présent* que vous avez accès au pouvoir véritable de l'univers et que vous manifestez vos désirs.

Il est important d'examiner le passé, car c'est l'une des façons d'apprendre les leçons de la vie. De la même manière, il est primordial d'imaginer notre avenir, car il s'agit de la première étape de sa création. Toutefois, c'est le *présent* qui doit être le principal objet de notre attention, surtout quand nous cherchons à manifester nos désirs, parce que c'est dans le présent que la création est possible. Le présent a du pouvoir.

Tout ce qui arrive se produit dans le moment *présent*. Vos souvenirs ont été, un jour, des moments présents, et votre futur est fait de moments à venir. En étant totalement dans le moment présent, vous avez la possibilité de vous créer de magnifiques souvenirs et de semer de saines graines pour l'avenir, graines qui deviendront la récolte de demain.

Malheureusement, certaines personnes deviennent prisonnières du passé parce qu'elles n'arrivent pas à lâcher prise sur leurs erreurs et leurs griefs, ni à accepter que certaines occasions leur aient échappé. D'autres se concentrent sur l'avenir et établissent des règles quant à leur bonheur possible. Par exemple, leur état d'esprit général revient à dire: « Je serai heureux quand j'aurai une promotion, quand j'aurai accompli telle chose ou trouvé l'âme sœur. » Or le bonheur est pourtant une expérience du présent; il se produit maintenant, et non pas hier ou demain. Apprendre à être heureux maintenant, en appréciant ce que le moment présent vous apporte, génère une énergie de *reconnaissance*, voire une de *prise de conscience* énergisante qui vous aide à atteindre vos objectifs. L'ancien poème sanskrit ci-dessous le dit merveilleusement bien:

Regarde bien ce jour, car c'est la vie, le meilleur de la vie.

Dans ce bref laps de temps résident toutes les réalités
et vérités de l'existence : les joies de la croissance,
la splendeur de l'action, la gloire du pouvoir.

Car hier n'est qu'un souvenir et demain n'est
qu'une vision.

Mais ce jour, s'il est bien vécu, fait de chaque hier
un souvenir de bonheur, et de chaque demain,
une vision d'espoir.

Regarde bien ce jour.

Ce beau message de sagesse a été gravé il y a environ 4 500 ans, sur une tablette d'argile qu'on a retrouvée dans les ruines de Babylone. Il est toujours d'actualité aujourd'hui et il le sera encore dans 4 500 ans. Il représente une vérité fondamentale: si les situations et les circonstances changent constamment, certaines vérités sont éternelles. La vérité de ce principe est que toute création existe dans le présent, et nous devons être dans le moment présent si nous voulons être à notre meilleur et exécuter nos désirs véritables.

Loi 4 – Énoncez vos objectifs au présent

Le passé, c'est l'histoire, demain est un mystère,
aujourd'hui est un cadeau et c'est pour ça qu'on
l'appelle le présent.

Il y a différentes façons d'interpréter le fait de « vivre dans le moment présent » ; au niveau le plus élémentaire, cela veut

Ne laissez pas ce que vous ne pouvez pas faire contrarier ce que vous pouvez faire.
JOHN WOODEN

simplement dire *être attentif, être présent* et être *vraiment connecté, voire enraciné*. Un des meilleurs moyens d'y parvenir, c'est de conjuguer vos objectifs et vos intentions à *l'indicatif présent*.

Énoncez vos objectifs au présent est essentiel pour la manifestation consciente, car la création existe toujours dans le moment présent. De la même manière, ce n'est que dans le moment présent que vous pouvez être véritablement « habile à répondre », c'est-à-dire habile à trouver des réponses. Si vous choisissez une réponse basée sur le passé, vous êtes « ré-actif ». Choisir une réponse dans le futur est « pro-actif ». Mais ce n'est qu'en vivant dans le présent que vous aurez la réponse idéale et naturelle qui se dévoile dans le moment présent.

Rendre réel

Transformer les pensées en réalités.

Prenez conscience que maintenant, dans le moment présent, vous êtes en train de créer. Vous créez le moment suivant. C'est ça qui est réel.
SARA PADDISON

Soyez heureux dans le moment présent, cela suffit. Chaque moment est tout ce dont nous avons besoin.
MÈRE TERESA

À un niveau « macro », l'univers existe dans le moment présent, et c'est la même chose au niveau « micro », dans nos subconscient et surconscient individuels. Dans notre conscient, le temps existe en tant que moyen de déterminer les moments du passé, du présent et du futur. Mais notre subconscient ne fonctionne pas de cette manière; à l'instar de l'univers, le subconscient vit dans le moment présent et répond au moment présent.

Beaucoup de gens tombent dans le piège d'énoncer leurs objectifs au futur, ce qui veut dire que leurs objectifs restent accrochés au futur et n'existent que dans le futur... Ce n'est pas intentionnel, mais en utilisant le raisonnement de l'hémisphère gauche et le conscient, ils déduisent que tant qu'ils n'ont pas atteint leurs objectifs, leurs souhaits doivent commencer par « Je veux », « Je ferai » ou « J'ai l'intention ». Le problème de ces déclarations, c'est qu'elles placent votre objectif dans le futur, tandis que l'intention de votre subconscient veut vivre dans le présent.

Si vous énoncez un objectif ou une intention du genre : « Je veux être heureux, en bonne santé, riche… », ce que vous accomplissez, c'est *vouloir*. Vous vous réveillerez le lendemain en *voulant* être heureux, en bonne santé ou riche ; le surlendemain, ce sera la même chose, et cela continuera parce que votre formulation maintiendra toujours votre objectif au futur donc à distance.

Votre subconscient se doit de faire en sorte que vous-même et votre vie correspondent à vos pensées et croyances dominantes. Si vous *pensez* que vous pouvez faire quelque chose, votre subconscient prendra cette pensée pour un ordre et agira en conséquence. Toutefois, ce n'est pas le fait de penser que vous pouvez faire quelque chose *dans le futur* qui génère le pouvoir personnel, mais c'est le fait de vous imaginer en train de le faire *maintenant* qui pousse votre subconscient à agir.

C'est le moment présent qui compte. La vie d'un homme est une succession de moments. Celui qui comprend pleinement le moment présent n'aura rien d'autre à faire et rien d'autre à poursuivre.

HAGAKURE

Ancrer le rêve

Transformer la visualisation en réalisation.

Énoncer dans le moment est une pratique ancestrale de divers groupes spirituels qui psalmodient leur conscience ou qui se disent constamment ce qu'ils sont en train de faire afin de demeurer concentrés. De la même manière, si vous pratiquez la visualisation, *la clé* réside dans le fait de vous imaginer en train de vivre votre objectif comme s'il existait déjà : visualiser votre objectif, le dire, le toucher, le goûter, le sentir. C'est alors que vous y croirez, et que votre subconscient se mettra rapidement au travail pour l'atteindre.

Loi 5 – Énoncez vos objectifs de façon affirmative

Votre parole est votre baguette magique ;
maniez-la avec sagesse.

Nous maintenons notre concentration et créons notre monde par la *pensée*, la *parole* et les *actes*. Toute énergie de pensée est créative et attirante, mais une pensée associée à des sentiments forts et qui est exprimée à voix haute crée une vibration beaucoup plus dense et davantage de pouvoir. Lorsqu'on se conforme à une pensée ou un sentiment qu'on a énoncés à voix haute, ceux-ci deviennent plus puissants. Rien n'égale la force d'une personne qui dit ce qu'elle pense et qui fait ce qu'elle dit. En revanche, les personnes fourbes et hypocrites qui ne disent pas ce qu'elles pensent et ne font pas ce qu'elles disent sont généralement méprisées, et affaiblissent leur propre pouvoir.

Votre langage reflète votre état d'esprit, votre état d'esprit reflète vos pensées dominantes et vos croyances, qui sont les ordres constants donnés à votre surconscient et subconscient. Pour être en mesure de maintenir une pensée positive, de générer un pouvoir véritable et de commander l'univers, il est important d'adopter un vocabulaire positif et de maintenir l'intégrité de vos pensées, sentiments, paroles et actions.

> **Quand on exprime notre gratitude, on ne doit jamais oublier que l'appréciation la plus haute n'est pas d'énoncer des mots, mais de vivre en accord avec ceux-ci.**
> JOHN F. KENNEDY

Surveillez votre langage

Voyez et dites les choses telles que vous voulez
qu'elles soient.

Au début de ma carrière de formateur, je me suis fixé l'objectif d'améliorer ma mémoire et j'ai décidé d'apprendre des techniques de mémorisation. La première étape consistait à examiner mes pensées et mes commentaires, et à arrêter de me dire : « J'ai une très mauvaise mémoire. » Il fallait également que j'arrête de commander les autres de façon négative en disant des choses du genre « N'oublie pas… », alors qu'en fait, je voulais dire « S'il te plaît, souviens-toi… ».

> **On a tendance à obtenir ce à quoi on s'attend.**
> NORMAN VINCENT PEALE

> **On ne devrait jamais laisser nos peurs nous empêcher de poursuivre nos espoirs.**
> JOHN F. KENNEDY

Il est facile de tomber dans le piège de donner des ordres négatifs inconscients. Je collabore actuellement avec des thérapeutes pour enfants, qui passent le plus clair de leur temps à travailler non pas avec les enfants mais avec les parents. Les jeunes enfants sont particulièrement sensibles aux commentaires qu'on leur fait, parce qu'ils n'ont pas encore développé un sens du *Moi* (le conscient) suffisamment fort pour les remettre en question, et leur subconscient prend littéralement le contrôle. Si vous doutez du pouvoir de suggestion, pensez à ce qu'il se passe quand vous dites à un enfant : « Ne touche pas ! » L'enfant se mettra probablement à toucher tout ce que vous ne voulez pas qu'il touche. De la même manière, répéter continuellement à un enfant qu'il est « maladroit, bête ou fainéant » ne fait qu'engendrer ces résultats négatifs. Rappelez-vous que votre subconscient ne peut pas porter de jugements de valeur (cf. p. 10). En d'autres termes, la négation de l'action met l'accent sur l'action elle-même.

> Identifiez dans les propos que vous vous tenez à vous-même les commentaires et ordres subconscients négatifs. Vous savez peut-être, dans votre conscient, que vous ne voulez pas vraiment y obéir, mais à moins que vous ne les transformiez en affirmations positives de soutien, ils demeureront des ordres à votre subconscient et continueront à vous freiner.

Pensez positif

Cherchez le meilleur en vous, dans votre vie, chez les autres, et vous le trouverez.

Penser positivement ne se résume pas à être heureux pour le plaisir de l'être (quoique ce soit une bonne idée et un objectif louable) et à ignorer le négatif – si vous ne voyez pas les trappes, vous tomberez dedans. Il s'agit plutôt d'une stratégie pour trouver le meilleur moyen d'avancer vers un bonheur, une paix et une abondance durables; c'est une technique pour repérer, en cas de difficulté, les possibilités de voir le bon côté des choses.

Tout objectif sur lequel on se concentre prend une place prépondérante dans notre conscience et, grâce à la loi de l'attraction, nous nous en rapprochons. Si vous vous concentrez sur un problème, vous ne ferez que l'aggraver, mais si vous vous concentrez sur la solution au problème, vous progresserez vers cet objectif. Cherchez ce qu'il y a de bon en vous; vous aurez une meilleure opinion de vous-même et vous renforcerez votre confiance en vous. Regardez ce qu'il y a de bon dans votre vie, et vous y découvrirez des possibilités et y trouverez également des solutions. Regardez ce qu'il y a de bon chez les autres, et vous génèrerez davantage d'harmonie, de paix et de synergie.

Ne trouvez pas la faute, trouvez le remède.
HENRY FORD

Les problèmes, c'est ce qu'on voit quand on détourne les yeux de son objectif.
BRIAN TRACY

La première étape indispensable pour obtenir ce qu'on veut dans la vie, c'est de décider ce qu'on veut.
BEN STEIN

Il est important de vous rappeler que vous devez énoncer ce que vous voulez et non pas ce dont vous avez peur.

Cela semble peut-être évident, mais dans les faits, beaucoup de gens se fixent des objectifs et des intentions négatifs sans s'en rendre compte. L'exemple classique est celui d'arrêter de fumer. La première fois que je me suis fixé l'objectif d'arrêter de fumer, j'ai commis l'erreur de l'énoncer en termes négatifs: « Je ne veux plus fumer. »

Cet objectif et cet énoncé m'ont plutôt inculqué une image de *moi-même* qui *fume encore davantage*, *sans avoir vraiment envie de fumer*, et c'est exactement ce qu'il s'est produit: deux semaines plus tard, je fumais plus que jamais, et j'étais totalement écœuré. J'ai fixé mon objectif à nouveau, cette fois en cherchant à utiliser un terme purement positif pour ne pas fumer. Je n'ai pas trouvé mieux que « Je respire de l'air », et bien que ce soit vrai et positif, c'était tellement faible que cela n'a guère eu d'impact positif, voire concluant.

Plutôt, il a fallu que je sonde mon âme pour clarifier ce que je voulais réellement. Or je voulais me libérer de ma dépendance, mais je voulais aussi être libre de choisir de fumer si je le voulais, et de ne pas fumer si je ne le voulais pas. Après avoir fixé et énoncé mon objectif en termes positifs et affirmatifs par « Je suis libre », ma dépendance a commencé à diminuer.

Loi 6 – Énoncez vos objectifs de façon personnelle

Vous ne pouvez fixer des objectifs pour personne d'autre que vous-même.

Pour qu'un objectif agisse au niveau du subconscient ou du surconscient, il faut d'abord que vous y croyiez personnellement, et donc que vous ayez vous-même fixé cet objectif. Vous ne pouvez pas fixer des objectifs pour quelqu'un d'autre, et nul ne peut vous fixer des objectifs. Vous êtes le maître de votre « génie » subconscient, et votre génie ne travaillera que pour vous-même.

Je rencontre souvent des gens qui sont hostiles à l'idée de se fixer des objectifs, parce qu'elle leur a été imposée, dans le passé, sans qu'ils aient leur mot à dire quant au genre d'objectifs à fixer. Il est probable qu'un parent, un professeur ou un patron bien intentionné leur ait dit : « Voilà ce que tu dois faire, alors fixe-toi un objectif et fonce. »

Ce n'est pas la montagne qu'il faut conquérir, mais nous-mêmes.
SIR EDMUND HILLARY

Gardez toujours à l'esprit que votre résolution de réussir est plus importante que tout le reste.
ABRAHAM LINCOLN

Il y a longtemps, j'ai commis l'erreur de me fixer l'objectif d'épouser une certaine personne. Ce n'était pas son objectif, mais le mien, et ça ne s'est pas produit. De la même manière, on me demande parfois dans mes ateliers : « Comment puis-je changer mon mari/ma femme ? » Vous pouvez changer de mari ou de femme, mais vous ne changerez pas la personne. Les gens changent s'ils le veulent.

Dans le cadre de mon travail en entreprise, j'ai vu des gestionnaires annoncer à leur équipe le nouvel objectif à atteindre, sans se rendre compte que l'objectif en question était le leur ou celui de l'entreprise. Or cet objectif ne deviendra l'objectif de l'équipe que lorsque celle-ci se l'appropriera d'une manière ou d'une autre. C'est ce qui arrive lorsque chaque membre de l'équipe fait un pas en avant et s'engage à atteindre cet objectif.

> **L'implication personnelle dans un travail collectif: voilà ce qui fait fonctionner une équipe, une entreprise, une société, une civilisation.**
> VINCE LOMBARDI

Quelqu'un d'autre que vous peut identifier la cible à atteindre, mais si vous ne l'approuvez pas personnellement, cela ne deviendra pas véritablement votre objectif (personnel). Chacun a son propre libre arbitre. Chacun crée et vit sa propre réalité, et chacun a son propre «génie» subconscient qui l'aide à le faire; et chacun est personnellement *habile à répondre* de la direction qu'il devra indiquer à son subconscient.

Loi 7 – Accordez-vous du temps

Appropriez-vous le laps de temps entre la pensée et la création.

Pensez à ce qu'il se passe quand vous clignez des yeux. Le laps de temps entre l'idée et l'action est très court, à moins que vous ne pensiez à autre chose et que vous n'ordonniez à vos yeux de rester ouverts. Le laps de temps qui s'écoule entre la fixation et la réalisation de votre objectif dépendra davantage de la force de votre croyance et de la constance de votre conviction que des contingences et de vos capacités personnelles. En d'autres termes, pour atteindre un objectif, il est essentiel que l'idée de réussir soit plus forte que celle d'échouer.

Tous les objectifs sont relatifs. Ce qui est un objectif majeur pour vous sera peut-être modeste pour autrui, et vice versa. Un objectif majeur est un objectif qui se situe au-delà du point où vous en êtes rendu dans la vie et dans votre *Moi*, ce qui signifie que vous devrez accroître votre croyance en vous-même et augmenter votre capacité physique. Or la *croyance* est prioritaire, si bien que c'est elle qui influence la *capacité physique*.

Il y a quelques années, lorsque je me suis fixé l'objectif d'apprendre à lire et à écrire correctement, je me suis donné 12 mois pour atteindre mon objectif, et cela a pris 12 mois. Conjointement avec l'objectif d'apprendre à lire, je me suis fixé l'objectif d'écrire un livre, de manière à obtenir un repère mesurable de ma réalisation. Pour cet objectif, je me suis donné 18 mois, en me disant que s'il m'avait fallu 12 mois pour apprendre à lire, il m'en faudrait six de plus pour écrire le livre.

> Je ne crois pas qu'il y ait d'autre qualité essentielle au succès que celle de la persévérance. Elle surmonte presque tout, même la nature.
>
> John D. Rockefeller

> La seule chose qui s'interpose entre un homme et ce qu'il veut dans la vie est souvent simplement la volonté d'essayer et la foi de croire que c'est possible.
>
> Richard M. DeVos

Dix-huit mois se sont écoulés et… pas de livre. Au début, j'étais découragé, et je suis même allé jusqu'à décréter que la technique de Goal mapping ne fonctionnait pas. Puis, je me suis rappelé ce que m'avait enseigné un de mes mentors: « Brian, quand ça ne se passe pas comme tu l'avais prévu, procède à une *introspection*. Vérifie d'abord ton degré de concentration mentale, notamment pour t'assurer que ton *paradigme de la situation* est honnête, juste et clair, avant de t'attarder aux détails. »

Après avoir choisi de me concentrer sur le positif, je me suis rendu compte que j'avais accompli beaucoup de choses entre-temps; il ne me restait qu'à fixer à nouveau l'objectif du livre. Une fois encore, je me suis réservé 18 mois, et 18 mois se sont écoulés sans signe du livre. Comme la fois précédente, je suis tombé dans le piège néfaste de l'objectif accroché à l'avenir, mais pas longtemps. J'ai alors procédé à mon introspection, je me suis concentré sur le positif, et j'ai reconnu que, durant la période allouée, j'avais développé mes capacités d'écriture et j'avais publié plusieurs articles; j'ai donc choisi de me fixer cet objectif à nouveau.

En tout, il m'a fallu quatre ans pour atteindre mon objectif de publier un livre. Il est toutefois important de garder à l'esprit que ce n'est pas la seule chose sur laquelle j'ai travaillé pendant tout ce temps. En fait, je n'ai pas eu à faire beaucoup d'efforts pour atteindre mon objectif. Ce qui a réellement pris quatre ans, ce n'était pas l'activité (physique) d'écrire, mais de me convaincre que j'en étais capable.

Bandez votre arc

Quand on veut, on peut.

Fixer un objectif, c'est comme décocher une flèche: plus l'objectif est ambitieux, plus la flèche mettra de temps à atteindre sa cible. La première étape pour l'archer est de décider où viser en se fixant un objectif. Ensuite, l'archer doit rassembler la force nécessaire pour bander son arc, voire ici créer une puissante image de pensée dominante. Enfin, l'archer décoche la flèche et attend un certain laps *de temps* pour qu'elle atteigne sa cible.

> L'étape de choisir un objectif et de s'y tenir change toute la donne.
> SCOTT REED

> L'avenir appartient à ceux qui croient en la beauté de leurs rêves.
> ELEANOR ROOSEVELT

Quels que soient le type ou l'ampleur de votre objectif, assurez-vous de vous accorder le laps de temps nécessaire entre la visualisation et la réalisation; beaucoup de gens n'accordent pas suffisamment de temps à leur génie subconscient pour qu'il exerce sa magie.

Si vous avez passé des années à tenir un discours négatif ou à nourrir une croyance limitative, il vous faudra du temps pour consolider le pouvoir de vos intentions positives et les rendre dominantes. Plus souvent vous fixerez et réviserez vos objectifs, plus leur pouvoir s'accentuera, et plus vite votre subconscient œuvrera pour les atteindre. Quel que soit le temps que cela prendra, restez fidèle à votre rêve. Révisez et renouvelez vos objectifs régulièrement, et pensez à vous accorder un certain temps.

Chapitre 5

Préparation à la manifestation

Le contenu des pages précédentes est essentiel pour une bonne préparation à un objectif viable. Pour qu'il coule de source, cela peut prendre une vie ou un clin d'œil.

Préparation mentale

La personne que vous choisissez d'être donne un sens aux choses que vous faites et mène à ce que vous avez.

Pour progresser naturellement vers la réalisation de vos objectifs en travaillant en harmonie avec les lois fondamentales de la création, il est important de faire honneur à l'ordre naturel de la réussite : *être* avant de *faire*, de manière à *avoir*.

La manifestation de tout objectif ou de toute chose que l'on veut *avoir* se fait davantage par ce qu'on *est* que par ce qu'on *fait*. Qu'il s'agisse d'une activité mondaine, qui requiert peu de compétences et de connaissances, ou d'une activité spécialisée, qui exige au contraire un haut niveau de compétences et de connaissances, c'est toujours notre façon d'*être*

> **La rencontre de la préparation et de l'occasion donne un fruit qu'on appelle la chance.**
> ANTHONY RUBBINS

– enthousiaste, attentionné, courageux – qui déterminera non seulement la quantité mais aussi la qualité des objectifs atteints.

Dynamisme, Attitude, Confiance: le facteur DAC

Enfourchez le vélo de la capacité.

L'assurance… ne pousse bien qu'avec l'honnêteté, l'honneur, le caractère sacré des obligations, la protection fidèle et la performance désintéressée. Sans cela, elle ne peut pas vivre.
FRANKLIN D. ROOSEVELT

Il n'y a pas de secret de la réussite. C'est le résultat obtenu lorsqu'on s'est préparé, qu'on a travaillé dur, et qu'on a appris de nos échecs.
COLIN POWELL

Imaginez que votre activité régulière, c'est comme faire du vélo, qu'il s'agisse de votre travail, d'un passe-temps ou d'une responsabilité quotidienne.

La roue arrière du vélo représente vos connaissances techniques et vos compétences. Sans elle, votre vélo ne peut pas avancer. À partir du moment où l'on entre à l'école, on commence à accumuler des connaissances techniques. Tandis qu'on progresse dans notre cursus scolaire, nos connaissances et nos compétences sont de plus en plus influencées par notre choix de carrière. Lorsqu'on quitte l'école et qu'on fait des études supérieures ou qu'on commence à travailler, notre champ de connaissances techniques et de compétences se précise davantage.

Quoi que vous fassiez au quotidien, et quelles que soient vos qualifications, vous avez probablement assimilé un haut degré de connaissances spécifiques qui vous permettent de réussir dans vos activités régulières; à tel point que si vous me demandiez d'assumer vos fonctions de la journée, je serais probablement perdu jusqu'à ce que j'acquière une partie de vos compétences et de vos connaissances techniques. Plus votre activité est spécialisée, plus vos connaissances et compétences devront être spécifiques. Toutefois, quel que soit le degré de connaissance, chacun doit avoir une roue arrière pour que son vélo puisse gravir les pentes de la vie.

Quelle est la fonction principale de la roue avant d'un vélo? *Diriger*. Votre roue avant, c'est votre mécanisme de direction: votre capacité à communiquer et à influencer. La roue avant représente votre savoir-vivre, qui se développe sur une longue période de temps.

Le vélo est l'analogie pour tout ce que vous faites : la roue arrière représente vos connaissances techniques, et la roue avant, votre savoir-vivre, mais ne vous méprenez pas : c'est VOUS qui vous levez chaque matin et pédalez.

Il y a des jours où l'on pédale de toutes nos forces pour la chose qu'on a décidé de faire, et il y a des jours où l'on a envie d'un terrain plat, voire d'une pente à descendre en roue libre. La différence entre les jours où l'on pédale fort et ceux où l'on avance en roue libre émane de trois traits de caractère essentiels :

- **D**ynamisme
- **A**ttitude
- **C**onfiance

Votre capacité à vous prévaloir et à développer de bons niveaux de DAC sera un facteur déterminant quant au succès de votre objet de concentration, dans n'importe quel aspect de votre vie.

Un jeune étudiant m'a fait remarquer récemment que le dynamisme, l'attitude et la confiance ne déterminent pas seulement notre ardeur à faire fonctionner notre roue arrière, mais aussi notre détermination à faire rouler cette roue dès le départ. En effet, si l'on apprend le DAC lorsqu'on est jeune, on voit la valeur des études et l'on en tire le meilleur profit ; sans quoi, on avance en roue libre et l'on abandonne dès que possible. Progresser dans la vie n'est pas tant lié au terrain traversé qu'à la personne qu'on *est* quand on roule.

> **Le caractère est à l'homme ce que le carbone est à l'acier.**
> AUTEUR INCONNU

Devenir plus

L'objectif continu suprême pour chacun de nous est d'évoluer et d'être à notre meilleur.

Chacun des trois traits essentiels, le *dynamisme* (être capable de se motiver), l'*attitude* (la capacité de rester positif) et la *confiance* (la confiance en *soi* authentique), vous permet d'atteindre vos objectifs. Ces traits sont d'ailleurs renforcés par le processus de fixation des objectifs. Avoir un objectif, un but, savoir où l'on va, génère de la motivation, un dynamisme, et donc une certaine stabilité dans la vie. C'est la poursuite d'objectifs qui nous pousse à nous dépasser, à nous concentrer sur des solutions et à renforcer notre confiance en nous-mêmes, en sortant de notre zone de confort.

Quand on fait honneur au principe premier de « devenir plus » dans la vie, nos objectifs physiques deviennent le reflet extérieur de notre grandeur intérieure. Quand on viole ce principe, aucune réussite extérieure ne pourra compenser nos défauts intérieurs.

> **Le parcours est la récompense.**
> PROVERBE TAOÏSTE
>
> **La victoire sur soi est la plus grande des victoires.**
> PLATON

Dans le monde occidental, on a tendance à transformer le besoin naturel de *devenir plus* en la croyance que le bonheur est lié au fait d'*avoir plus*: plus d'argent, une maison plus grande, une voiture plus rapide. Ce paradigme est en fait la source de bien des souffrances. La satisfaction occasionnée par les gains matériels est de courte durée, à moins d'être équilibrée par les acquis du développement personnel. Aussi, quand vous vous préparez à atteindre un objectif, il est primordial de vous convaincre que vous *êtes* la personne qui pourrait atteindre cet objectif.

Préparation physique

Faire de bons projets pour demain.

L'efficacité de toute technique de fixation des objectifs, qu'il s'agisse d'accomplir des choses ou de développer des traits de caractère, sera déterminée par son efficacité à relier vos objectifs conscients à votre subconscient. L'accès principal au subconscient est situé au niveau de l'hémisphère droit, qui raisonne avec des images.

Tout le monde, à un certain niveau, raisonne avec des images, même si l'on ne s'en rend pas compte. Beaucoup de gens pensent à tort qu'ils ne visualisent pas les choses parce qu'ils ne voient pas des images claires, lumineuses et colorées. Or cela ne veut pas dire qu'ils ne pensent pas avec des images, ou qu'ils n'imaginent pas les choses.

Pour beaucoup de gens, les images leur venant à l'esprit sont tellement fugaces qu'ils n'en ont pas conscience. Pourtant, il suffit de s'allonger, de se détendre, de fermer les yeux, pour que les images de vos pensées commencent à apparaître dans votre esprit conscient.

Vous rêvez en mots ou en images ? Il s'agit toujours d'images. Vous entendrez peut-être des mots dans votre rêve, ou vous vous entendrez penser, mais les mots sont toujours le reflet des images de la pensée. C'est pour cette raison que la technique de Goal mapping utilise une combinaison de mots et d'images pour stimuler toute l'activité cérébrale et pour former une connexion directe avec votre subconscient.

Avant de passer au chapitre suivant et de créer votre première Carte d'objectifs, vous devez rassembler et préparer certaines choses pour maximiser le pouvoir de votre Carte. Le facteur le plus important est certes la préparation de vos modèles de Goal mapping.

En annexe à ce livre, vous trouverez les modèles des hémisphères gauche et droit que je vous conseille de photocopier en format A4 ou A3 ; vous pouvez également les télécharger et les imprimer gratuitement à partir du site www.goalmapping.com. En faisant des photocopies, vous pourrez réutiliser les modèles. Cela signifie en outre que l'achèvement de votre Carte d'objectifs n'est pas lié à ce livre.

Je vous recommande vivement d'utiliser des modèles pour vos premières Cartes d'objectifs, car ils vous aideront à suivre les sept étapes inhérentes à la technique. Toutefois, une fois que vous vous serez familiarisé avec le processus, vous pourrez créer vos Cartes à partir de n'importe quel morceau de papier.

La couleur étant un stimulant efficace de l'hémisphère droit, je vous encourage également à utiliser des feutres de couleur (j'ai une préférence pour ceux qui ont un bout en fibres) ainsi qu'un crayon, un stylo, une gomme et une règle.

Accordez-vous un moment de calme, où vous ne serez pas dérangé, pour la création de votre première

Le plus vaste territoire inexploré au monde, c'est l'espace situé entre nos deux oreilles.
BILL O'BRIEN

La réussite provient en partie d'une préparation adéquate.
JIM ROHN

> **La musique est l'autoroute menant au système de mémoire.**
> TERRY WYLER WEBB

Carte d'objectifs. Prévoyez au moins une heure et vous constaterez que vous créerez beaucoup plus rapidement les cartes suivantes.

Idéalement, créez votre Carte dans un environnement paisible. Mais si cela n'est pas possible, ayez recours à l'exercice de relaxation de la page 126 pour ainsi réserver une zone calme dans votre tête.

Enfin, la musique est aussi un excellent stimulant de l'hémisphère droit, et cela fait du bien à beaucoup de gens de mettre de la musique douce en bruit de fond pendant qu'ils font leur Carte d'objectifs. Choisissez une musique calme et douce qui vous inspire.

Deuxième partie

La technique de Goal mapping

Chapitre 6

Créer votre Carte d'objectifs

Pour être l'architecte d'une grande vie, vous devez envisager puis créer un grand plan.

Conditionnement

Connaître l'histoire.

Penser positivement est l'essence même de la technique de Goal mapping; cela représente le processus de changement et de création consciente sans lequel votre capacité de manifestation intentionnelle est réduite.

On sait que:

- Pour le meilleur et pour le pire, nous avons tous la possibilité d'influencer le cours de notre vie.
- La *cause* première qui crée les *effets* ou les circonstances de notre vie, ce sont nos *pensées*.

La clé du changement, c'est la clé de tout.
JAMES BURKE

Car il est comme les pensées de son âme.
PROVERBES 23 : 7

- Si certains réfléchissent régulièrement à ce qu'ils veulent, la plupart des gens se concentrent régulièrement sur ce qu'ils redoutent, et c'est l'objet de notre concentration qui détermine ce que créera notre subconscient.

Aller de l'avant

> Penser est le travail le plus difficile qui soit, ce qui explique probablement pourquoi si peu de gens le font.
> HENRY FORD
>
> Ne jamais commencer une journée avant qu'elle ne soit consignée par écrit.
> JIM ROHN

Selon les points résumés ci-dessus, il semble évident que pour créer toute forme de réussite, il faut d'abord créer un *ordre de pensée dominante*.

Certains d'entre vous suivent peut-être le même raisonnement que je suivais auparavant : « Pourquoi ne pas simplement m'asseoir, fermer les yeux, et visualiser ou *penser* à mes objectifs ? Si je me concentre à fond sur cette pensée pendant 30 minutes, pourrai-je en faire *l'objectif dominant* que mon subconscient doit poursuivre ? »

Je dis « pourquoi pas », parce qu'il est extrêmement difficile de se concentrer sur une seule pensée. Généralement, les gens se laissent distraire, deviennent mal à l'aise, ou ils ont sommeil au bout de quelques minutes seulement ; leur esprit se met à vagabonder, et alors ils perdent vite leur concentration.

En revanche, en suivant les sept étapes du Goal mapping, en écrivant et en dessinant votre Carte d'objectifs physique, vous créez une image miroir ou une image de pensée dans votre esprit : un nouvel ordre d'*objectif dominant* que votre subconscient doit poursuivre.

Les sept étapes du Goal mapping

L'empreinte du pouce de la manifestation.

Les sept étapes du Goal mapping sont :

- **Rêver** « Qu'est-ce que je veux ? »
- **Ordonner** « Quelle est ma priorité ? »

- **Dessiner** « À quoi cela ressemble-t-il ? »
- **Pourquoi** « Pourquoi je veux ça ? »
- **Quand** « Quand est-ce que je le veux ? »
- **Comment** « Comment vais-je y parvenir ? »
- **Qui** « De l'aide de qui aurai-je besoin ? »

Ces sept étapes sont des aspects inhérents à toute forme de création consciente. En d'autres termes, toute personne qui cherche à accomplir quelque chose devra nécessairement suivre ces sept étapes, car ce sont les questions vitales de toute réussite : « *Que* voulez-vous ? », « Quelle est la *priorité* ? », « *Pourquoi* le voulez-vous ? », « *Quand* ? », « *Comment* le ferez-vous ? » et « *Qui* cela impliquera-t-il ? »

Se poser ces questions et agir en fonction des réponses est essentiel à toute forme de manifestation consciente. La technique de Goal mapping est conçue pour vous guider lors de ces étapes de planification du succès et pour représenter vos réponses à l'aide d'une Carte de mots et d'images, qui agit alors comme un rappel conscient et qui renforce votre ordre à votre subconscient.

En amorçant le processus de création de votre Carte d'objectifs, vous vivrez les principes de la pensée positive et vous vous concentrerez sur ce que vous voulez. Par la suite, le rituel de vivre votre Carte d'objectifs au quotidien maintiendra votre ordre à votre subconscient et entretiendra votre démonstration consciente de votre foi en vous-même, de votre croyance en vos objectifs et de votre engagement envers vos rêves.

Consignez votre projet par écrit… Une fois que c'est fait, vous aurez vraiment donné une forme concrète au désir intangible.
NAPOLEON HILL

Le pouvoir de l'image

Positionnez-vous pour votre avenir en cimentant vos intentions sur papier.

Pour connaître le pouvoir du Goal mapping, vous devez créer une Carte – il ne suffit pas de connaître la technique. Certaines personnes, dont moi-même par le passé, prétendent savoir ce qu'elles veulent et ne ressentent pas le besoin de l'exprimer de manière tangible, sous la forme d'un objectif. Toutefois, conserver ce que vous voulez dans votre tête n'a pas le même pouvoir que de le définir et le coucher sur le papier. Les pensées sont souvent fugaces, et l'esprit peut aussi être trompeur.

> **Manquer de planifier, c'est planifier de manquer.**
> BRIAN TRACY

Le processus de manifestation sous toutes ses formes implique toujours l'augmentation du niveau d'énergie de nos désirs. Assurez-vous que vos pensées de réussite soient toujours un cran au-dessus de vos peurs de l'échec. En consignant par écrit vos intentions pour l'avenir, vous engendrerez une forme de pensée qui, par l'entremise de la loi de l'attraction, parviendra à l'univers ; c'est un peu comme jeter votre filet dans un océan de potentiel.

Étape 1 – Rêver

Que voulez-vous ?

La première étape pour définir une intention, c'est de rêver. Or rêver est une fonction de l'hémisphère droit, par l'entremise de l'imagination et de la visualisation. Activer votre hémisphère droit vous permet de « voir ce que vous voulez » et donc d'entreprendre le parcours qui vous y mène.

Il y a de nombreuses façons d'activer l'hémisphère droit, et la plupart impliquent une forme de relaxation et un changement de respiration. Si vous avez déjà une technique de relaxation, utilisez-la ; sinon, suivez celle qui est proposée ci-dessous.

Détendez-vous

Libérez votre esprit pour trouver le flux.

- Assoyez-vous confortablement, le dos bien droit, les fesses bien calées au fond de la chaise. Posez les pieds à plat sur le sol, les mains à plat sur les cuisses, paumes vers le haut.

- Inspirez à fond par le nez et retenez votre souffle ; sans laisser sortir l'air, inspirez à nouveau pour que l'air descende dans votre ventre. Attendez un peu, puis expirez lentement par la bouche en vous répétant « RELAXE » trois fois.
- Répétez l'exercice de respiration, cette fois en disant « JE SUIS » trois fois.
- Répétez à nouveau en disant « À L'INTÉRIEUR » trois fois.
- Votre ordre à votre *Moi* est : « RELAXE – JE SUIS – À L'INTÉRIEUR »

Rien n'arrive qu'on n'ait pas déjà rêvé.
CARL SANBERG

Lorsque nous sommes incapables de trouver la paix intérieure, il est inutile de la chercher ailleurs.
KENNETH PRATT

Nous nous sentons en paix et en sécurité lorsque nous sommes totalement détendus. J'aimerais que vous imaginiez un courant de relaxation qui part du sommet de votre tête et qui détend petit à petit toutes les zones de votre corps. On pourrait se représenter cette énergie de relaxation comme étant une *lumière blanche*.

- Imaginez ce que cela ferait de vraiment *détendre votre cuir chevelu*, *votre front*, *vos oreilles*, *votre langue* et *vos mâchoires*. Donnez-vous *maintenant* la permission de détendre totalement ces zones, en les laissant se détendre de plus en plus lentement tandis que nous poursuivons.
- Maintenant, imaginez que cette lumière blanche relaxante descend dans *votre cou*, *vos épaules*, *vos bras* et *vos mains*. Donnez-vous la permission de détendre totalement *ces* zones, en les laissant se détendre de plus en plus lentement, à chaque respiration.
- Cette apaisante relaxation descend maintenant dans *votre cage thoracique*, détend graduellement tous *vos organes*, avant d'atteindre *vos hanches*, *vos cuisses*, *vos mollets*, *vos chevilles*, *vos pieds* et *vos orteils*. Une douce vague de lumière blanche relaxante se répand lentement

Nulle retraite
n'est plus tranquille
ni moins troublée
pour l'homme
que celle qu'il trouve
dans son âme.
MARC-AURÈLE

Qui n'a pas de rêves
n'a pas d'ailes.
MUHAMMAD ALI

C'est seulement
dans l'imagination
que chaque vérité
trouve une existence
réelle et indéniable.
L'imagination est
le maître suprême
de la vie.
JOSEPH CONRAD

dans tout votre corps, apaisant et nourrissant avec douceur chaque cellule.

- Ensuite, pressez lentement le bout de votre langue contre votre palais pendant un moment, et imaginez-vous en train de vous promener sur une plage de sable magnifique. Le ciel est bleu, parsemé de quelques nuages floconneux. Imaginez les arbres qui se balancent lentement dans la chaude brise d'été, le doux clapotis des vagues, la sensation du sable humide entre vos orteils.
- Tandis que vous marchez sur cette plage sûre et relaxante, une petite bouteille bleue qui dépasse légèrement du sable attire votre attention. Lorsque vous prenez la bouteille, elle s'ouvre, et à votre grande surprise, apparaît un génie aux grands yeux bleus et brillants.
- Le génie vous dit: « Ton vœu est un ordre. À toute "chose" que tu désires vraiment, j'obéirai. Toute "pensée" qui vient de ton cœur, je t'aiderai à la réaliser. »

Je veux maintenant que vous vous projetiez dans le temps sachant que vous avez le pouvoir de créer votre vie exactement comme vous voudriez qu'elle soit.

Posez-vous les questions suivantes:

- À quoi ressemble la réussite pour moi?
- Quels sont les domaines importants de ma vie?
- Quelles sont mes principales activités quotidiennes?
- Dans quel type de maison je vis et où se trouve-t-elle?

- Quel genre de voiture je conduis ?
- Quel genre de travail je choisis ?
- Quelles sont les personnes qui m'entourent ?

Imprégnez-vous vraiment de l'image et de ce que cela vous fait de vivre votre vie à son meilleur.

- Qui *êtes*-vous, en tant que personne ? En vous imaginant réaliser vos rêves, quelles sont les principales émotions et qualités que vous ressentez ?
- *Voyez* tout ce qu'il y a à voir. *Entendez* tous les sons. *Ressentez* tous les sentiments, et rappelez-vous le principe clé de la création consciente : « Ce que vous pouvez *concevoir* et ce en quoi vous pouvez *croire*, vous pouvez tout mettre en œuvre pour le *réaliser*. »

Fermez les yeux pour visualiser le tout pendant un moment, et lorsque vous êtes prêt, revenez à la réalité présente en rapportant avec vous un aperçu, une intention ou un désir qui vous donne de la force.

Faites l'exercice de visualisation ci-dessus avant de poursuivre.

Maintenant, notez rapidement vos pensées dans les espaces ci-dessous. Faites des phrases courtes. Pour l'instant, ne consignez que l'essentiel. Même un MOT CLÉ fera l'affaire ; vous entrerez dans les détails plus tard.

Le monde n'est que changement. La vie n'est qu'opinion.
MARC-AURÈLE

Ne faites pas de petits projets, car ils n'ont pas le pouvoir de susciter l'enthousiasme des hommes.
MACHIAVEL

N'ayez pas peur de la vie. Croyez que la vie vaut la peine d'être vécue. Cette croyance vous aidera à créer le fait.
HENRY JAMES

Ma vision de mon avenir, c'est:

. . . .

. . . .

. . . .

. . . .

Nous grandissons avec des rêves. Les plus grands hommes sont des rêveurs. Certains, toutefois, laissent mourir leurs rêves. Il faut nourrir et protéger ses rêves dans les moments difficiles, pour les jours meilleurs qui finissent toujours par venir.

WOODROW WILSON

. . . .

. . . .

. . . .

. . . .

. . . .

. . . .

. . . .

. . . .

Étape 1 – Rêver

Combien des espaces ci-dessus avez-vous remplis?

Idéalement, pour qu'il y ait un équilibre et un certain choix, j'aurais aimé que vous ayez inscrit au moins cinq objectifs dans divers domaines de la vie. Il faut un minimum de trois objectifs, mais si vous n'en avez qu'un, poursuivez avec celui-ci. Si vous avez des objectifs sur lesquels vous êtes déjà en train de travailler, ajoutez-les à votre liste. Laissez libre cours à votre imagination. Abordez l'exercice comme si tout était possible. Tant qu'à rêver, exercez-vous à rêver en grand.

Certaines personnes sont conditionnées, dès l'enfance, à croire que c'est une perte de temps de rêver éveillé, mais certains des plus grands personnages de l'histoire étaient des rêveurs, et certaines de leurs plus grandes réalisations sont d'abord apparues sous forme de rêve.

Einstein était considéré comme un enfant rêveur qui a appris à parler tardivement. On a dit à ses parents qu'il n'avait pas les capacités mentales de faire des études universitaires et qu'une école de commerce lui conviendrait davantage. Toutefois, sa grande découverte, lorsqu'il travaillait sur la théorie de la relativité, lui est venue alors qu'il rêvait éveillé à ce que cela ferait de chevaucher un rayon de lumière jusqu'au bout de l'univers.

Un tas de pierres cesse d'être un tas de pierres dès qu'un seul homme le contemple avec, en lui, l'image d'une cathédrale.

ANTOINE DE SAINT-EXUPÉRY

Savoir ce que vous voulez

Lever le brouillard de la peur.

Dans mes ateliers, il arrive qu'une personne ait un « blanc » d'inspiration au moment de fixer des objectifs. Il peut y avoir toutes sortes de raisons à cela, mais généralement, il s'agit d'une forme de peur. Cela m'est arrivé la première fois que j'ai été confronté à un exercice de fixation d'objectifs.

Je me rappelle avoir eu un blanc et une page tout aussi blanche. À ce moment-là, je ne savais vraiment pas ce que je voulais. Il a fallu que mon mentor me fasse remarquer que j'avais une dette de presque un million de livres sterling, que je n'avais ni maison, ni qualifications et que je ne savais ni lire ni écrire correctement. « Il doit bien y avoir quelque chose que vous voulez, non ? » m'a-t-il demandé.

> La vision est l'art de voir des choses invisibles.
> JONATHAN SWIFT

> L'esprit est un manoir, mais la plupart du temps, on se contente de vivre dans le hall.
> DR WILLIAM MICHAELS

> La plus grande tentation humaine est de se contenter de peu.
> THOMAS MERTON

Bien sûr, il y avait beaucoup de choses que je voulais : certaines étaient d'ordre pratique, d'autres étaient essentielles, et d'autres encore étaient purement agréables. Mais je n'avais pas la *croyance* que je pourrais les obtenir. Pour éviter d'être déçu, je me disais qu'il n'y avait rien que je voulais vraiment, ce qui m'arrangeait, parce que cela signifiait que je n'aurais pas à sortir de ma zone de confort et à affronter la peur de l'échec.

Lorsque je me suis rendu compte que c'était la peur qui me retenait, le brouillard a commencé à se dissiper dans mon esprit, et la vision d'un avenir motivant a commencé à se dessiner. Il m'a fallu un peu de temps pour exercer « les muscles » de ma croyance et de mon imagination, mais très vite, j'ai commencé à me dépasser avec des objectifs audacieux et vraiment stimulants.

Si cette première étape vous cause des difficultés, accordez-vous un moment pour vous asseoir en silence et écoutez votre cœur plutôt que votre tête. Si votre esprit est embrumé, s'il tourne en rond, ou s'il essaie de justifier une chose qui n'est ni possible ni réaliste, votre cœur, lui, s'exprimera toujours avec sincérité et clarté.

Cherchez en vous les peurs qui pourraient vous retenir, acceptez-les comme étant là pour vous protéger en quelque sorte, puis choisissez d'aller au-delà de celles-ci en exprimant vos intentions sous la forme d'un objectif inspirant.

Si à ce stade vous ne savez toujours pas ce que vous voulez, demandez-vous si vous savez ce que vous *ne voulez pas*, puis notez le contraire positif.

Étape 2 – Ordonner

Quelle est la priorité ?

L'étape 1 vous invitait à rêver en pensant avec votre hémisphère droit afin de vous créer une vision de votre avenir. L'étape 2

«*Ordonner*» exige que vous sollicitiez votre hémisphère gauche afin de déterminer lequel de vos objectifs est le plus important.

Souvent, les gens prétendent que leurs objectifs sont sur un pied d'égalité et sont *tous* importants, et cela pourrait bien être vrai. Cependant, l'expérience démontre qu'il y a toujours *un* objectif qui, une fois atteint, nous aide automatiquement à atteindre les autres.

Voici un exemple de ce que vos objectifs pourraient être:

- Vous offrir des vacances de rêve.
- Obtenir un avancement ou une promotion à votre travail.
- Avoir une maison plus grande.

Dans cet exemple, l'avancement deviendrait l'objectif principal, dans la mesure où, une fois obtenue, elle fournirait les ressources nécessaires pour atteindre les deux autres. Bien sûr, il ne s'agit que d'un exemple, et les priorités seront légèrement différentes d'une personne à l'autre, mais cet exemple représente néanmoins l'essence du principe.

Autre exemple courant: les étudiants qui, dans mes séances de Goal mapping, s'aperçoivent que leurs *études* constituent l'objectif principal qui leur permettra d'avoir le poste et le mode de vie qu'ils désirent.

> Mais que tout se fasse avec bienséance et avec ordre.
> CORINTHIENS 14: 40
>
> Les choses qui comptent le plus ne devraient pas être à la merci de celles qui comptent le moins.
> GEOTHE

Posez-vous maintenant cette question: «Lequel de mes objectifs, une fois atteint, m'aidera d'emblée à atteindre les autres?»

Une fois que vous avez décidé, référez-vous au modèle de Goal mapping de l'hémisphère gauche à la page 188 et écrivez votre objectif dans la case centrale *Objectif principal.* (Si vous ne voulez pas écrire dans le livre, photocopiez la page ou téléchargez-la depuis notre site Internet.) Utilisez un maximum de 10 mots, et assurez-vous que votre déclaration d'objectif suive les lois fondamentales de la manifestation: énoncez-le au *présent*, à *l'affirmatif* et de façon *personnelle*.

Faites-le maintenant

Il y a un pouvoir inhérent au fait d'aller directement à l'essence de votre objectif. Il n'y a pas de sagesse dans le verbiage. En réduisant votre énoncé d'objectif à un minimum de mots, vous trouverez le noyau absolu de votre intention et serez davantage capable de l'intérioriser. Regardez l'exemple de l'hémisphère gauche à la page 188 quant aux façons de l'exprimer.

> Une fois que vous avez une vision claire de vos priorités – c'est-à-dire de vos valeurs, de vos objectifs et de vos activités florissantes – organisez-vous en fonction d'elles.
>
> Stephen Covey

> Nous trouverons un chemin… ou nous en créerons un.
>
> Hannibal

Maintenant, choisissez quatre autres objectifs de la liste que vous avez dressée à la page 130. Idéalement, pour atteindre l'équilibre, il est préférable de choisir un éventail d'objectifs qui englobe différents domaines de votre vie, par exemple la santé, la richesse, l'aventure, le travail ou la maison. Placez un objectif dans chacune des cases *Sous-objectif* situées des deux côtés de votre *Objectif principal*. Une fois encore, rédigez-les au *présent*, à *l'affirmatif* et de façon *personnelle*, avec un maximum de 10 mots, tel que dans l'exemple de Carte d'objectifs.

Vous pouvez avoir autant d'objectifs que vous le désirez; ce n'est que dans le cadre de l'enseignement du Goal mapping que je les limite à cinq. Dans les chapitres suivants, je vous montrerai la façon d'ajouter des objectifs à votre Carte d'objectifs existante, ou la manière de créer des Cartes d'objectif ne visant qu'un seul domaine de la vie.

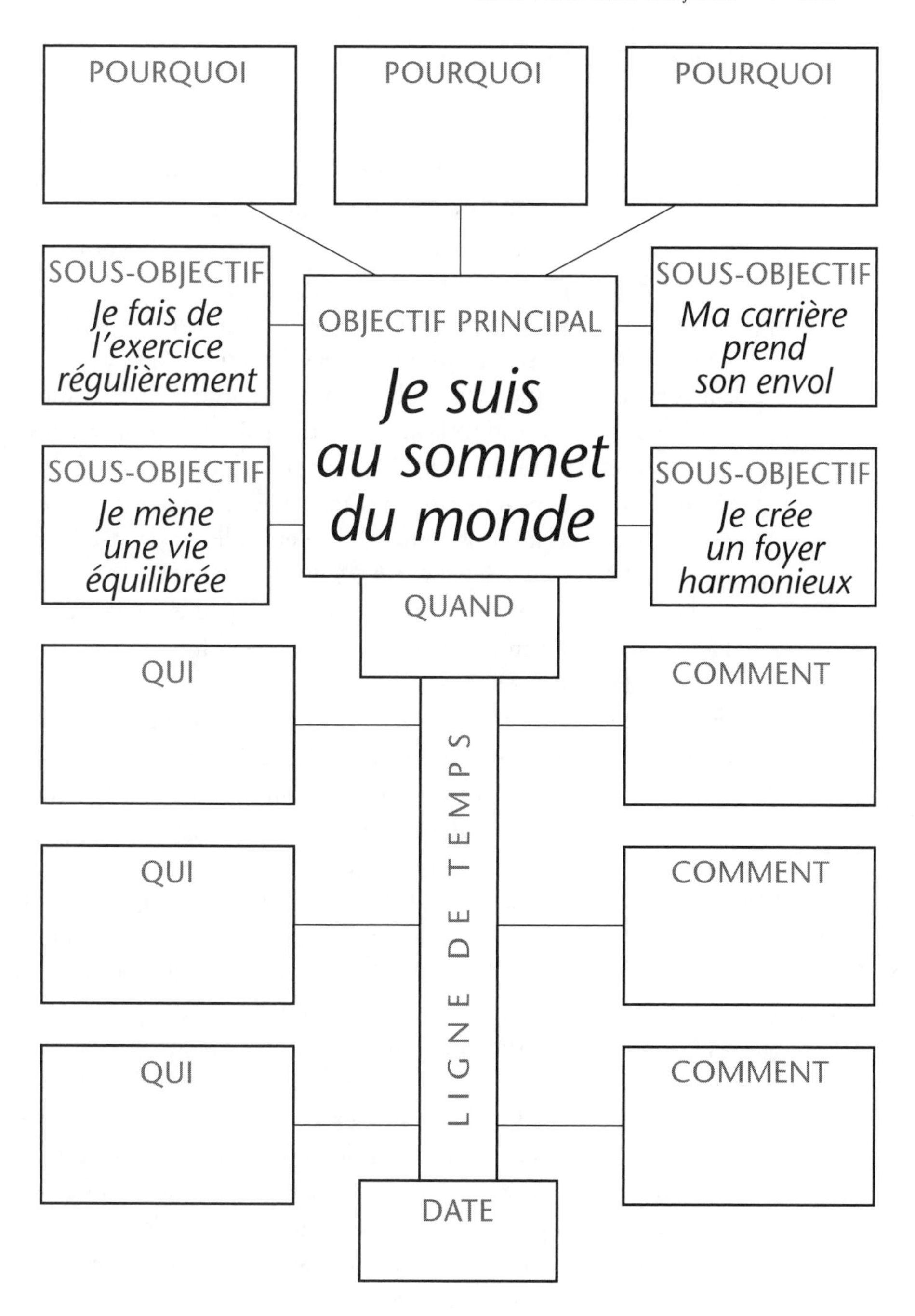

Étape 2 – Ordonner

Étape 3 – Dessiner

À quoi cela ressemble-t-il ?

Une fois que vous avez terminé l'étape 2 en inscrivant vos objectifs dans les cases, il est temps de passer à l'étape 3 « *Dessiner* ». C'est l'étape qui transformera les énoncés écrits de l'hémisphère gauche en imagerie visuelle de l'hémisphère droit.

Dans mes ateliers, certains éprouvent un malaise à ce stade parce qu'ils nourrissent une croyance limitative quant à leur capacité de dessiner. En réalité, tout le monde sait dessiner. Seulement, certains ont davantage pratiqué ou sont plus doués que d'autres. Cela dit, votre Carte d'objectifs ne doit pas forcément relever des beaux-arts. Vous acquerrez le même pouvoir en dessinant des petits bonhommes, voire en utilisant des symboles tels que : ❤❁▲❄❊✡✤✦✧★✳✹♣✱✺✸✶✰✠❣✾✿❃

Un *symbole* véhicule davantage de sens qu'une image seule. Par exemple, une croix est faite de deux lignes droites, mais peut être lourde de sens selon qu'elle représente une église, symbolise un carrefour ou revête la forme d'un svastika. La bonne nouvelle, c'est que nul autre que vous-même n'a besoin de comprendre la signification de votre dessin. Vous êtes la seule personne qui a besoin de connaître les objectifs que représente votre imagerie.

> **Une image vaut mille mots.**
> AUTEUR INCONNU
>
> **Ne pas rêver, c'est comme être mort.**
> GEORGE FOREMAN

Le dessin est le langage de l'hémisphère droit, qui détient l'accès principal au subconscient. Rappelez-vous que l'efficacité de tout type de *fixation d'intention* repose sur sa capacité à enraciner vos objectifs dans votre subconscient, d'où l'importance cruciale du dessin.

Le Goal mapping exige que vous dessiniez vous-même, peu importe le résultat esthétique, car le contenu de votre Carte d'objectifs devient votre ordre ou message principal. N'utilisez pas d'images numériques, ne découpez pas d'images dans les magazines. Bien que cela puisse être plaisant d'un point de vue artistique, ces images ne généreront pas le même pouvoir personnel parce qu'elles n'auront pas été dessinées par vous, et elles n'activeront donc pas votre cerveau de la même façon.

Commencez *maintenant*, en faisant un dessin ou un symbole de votre Objectif principal dans l'espace central de votre modèle de Goal mapping de l'hémisphère droit (cf. p. 189). Vous pouvez utiliser une feuille blanche, mais veillez à laisser de l'espace pour les étapes à venir.

Ensuite, dessinez vos Sous-objectifs dans les branches situées de chaque côté de votre objectif principal, comme dans l'exemple de Carte d'objectifs à la page 138. Vous pouvez commencer à dessiner au crayon, mais utilisez autant de couleurs que possible dans la version finale, car la couleur est un excellent stimulant de l'hémisphère droit et véhicule une forte vibration.

Certains voient les choses telles qu'elles sont et demandent: «Pourquoi?» Moi, je rêve de choses qui n'existent pas et je demande: «Pourquoi pas?»

GEORGE BERNARD SHAW

Dans l'histoire, les changements véritablement fondamentaux n'ont pas eu lieu par l'action des décisions gouvernementales ou des guerres, mais grâce au grand nombre de gens qui ont changé d'avis – parfois, juste un peu… En changeant délibérément l'image de la réalité que nous entretenons intérieurement, nous pouvons changer le monde. Ainsi, les seules limites de l'esprit humain sont peut-être celles en lesquelles nous croyons.

Willis Harman, *Global Mind Change*

Étape 3 – Dessiner

Étape 4 – Pourquoi

Pourquoi le voulez-vous ?

Les objectifs sont tout simplement des pensées qui sont saisies et maintenues. Ce qui fait la force d'une pensée, c'est l'émotion qui la sous-tend. D'où que le *pourquoi* de l'étape 4 vise à identifier les raisons émotionnelles les plus fortes de vos objectifs.

Les besoins sont d'ordre logique (hémisphère gauche), mais les désirs sont d'ordre émotionnel (hémisphère droit). Quelles sont les trois principales raisons émotionnelles qui expliquent *pourquoi* vous voulez atteindre vos objectifs ?

Comme dans l'exemple de Carte d'objectifs ci-dessous, peut-être voulez-vous davantage de liberté, c'est-à-dire faire ce que vous voulez, quand vous le voulez, autant que vous le voulez. L'amour est l'une des motivations émotionnelles les plus puissantes, et peut-être désirez-vous atteindre vos objectifs pour ce qu'ils vous apporteront dans votre vie mais aussi dans celle d'autrui, par exemple votre partenaire ou votre famille.

Quelles que soient vos raisons, elles auront un sens à vos yeux. Une fois que vous les avez identifiées, inscrivez-les dans les trois cases du haut de votre modèle de l'hémisphère gauche, puis représentez-les sur les trois lignes du haut de votre modèle de l'hémisphère droit, à l'aide de dessins ou de symboles et, une fois encore, utilisez plusieurs couleurs.

Si vous vous retrouvez bloqué à cette étape, prenez *maintenant* quelques instants pour vous rappeler votre vision de vous en train de vivre la journée idéale, ayant déjà atteint votre objectif. Remarquez la sensation.

Sans émotions, il est impossible de transformer les ténèbres en lumière et l'apathie en mouvement.
CARL GUSTAV JUNG

Ne vaut-il mieux pas désirer changer, et vivre le désir de quelque chose de plus haut, que de ne rien désirer?
KAHLIL GIBRAN

Le cœur a ses raisons que la raison ne connaît point.
PASCAL

Si vos désirs sont suffisamment forts, vous donnerez l'impression d'avoir des pouvoirs surhumains pour les assouvir.
NAPOLEON HILL

Cela peut prendre un certain temps avant que vous ne soyez en mesure de définir clairement vos motifs émotionnels les plus forts, mais cela vaut la peine de prendre le temps d'aller en profondeur, car vous pouvez accomplir presque n'importe quel *Quoi* lorsque vous avez un *Pourquoi* suffisamment fort.

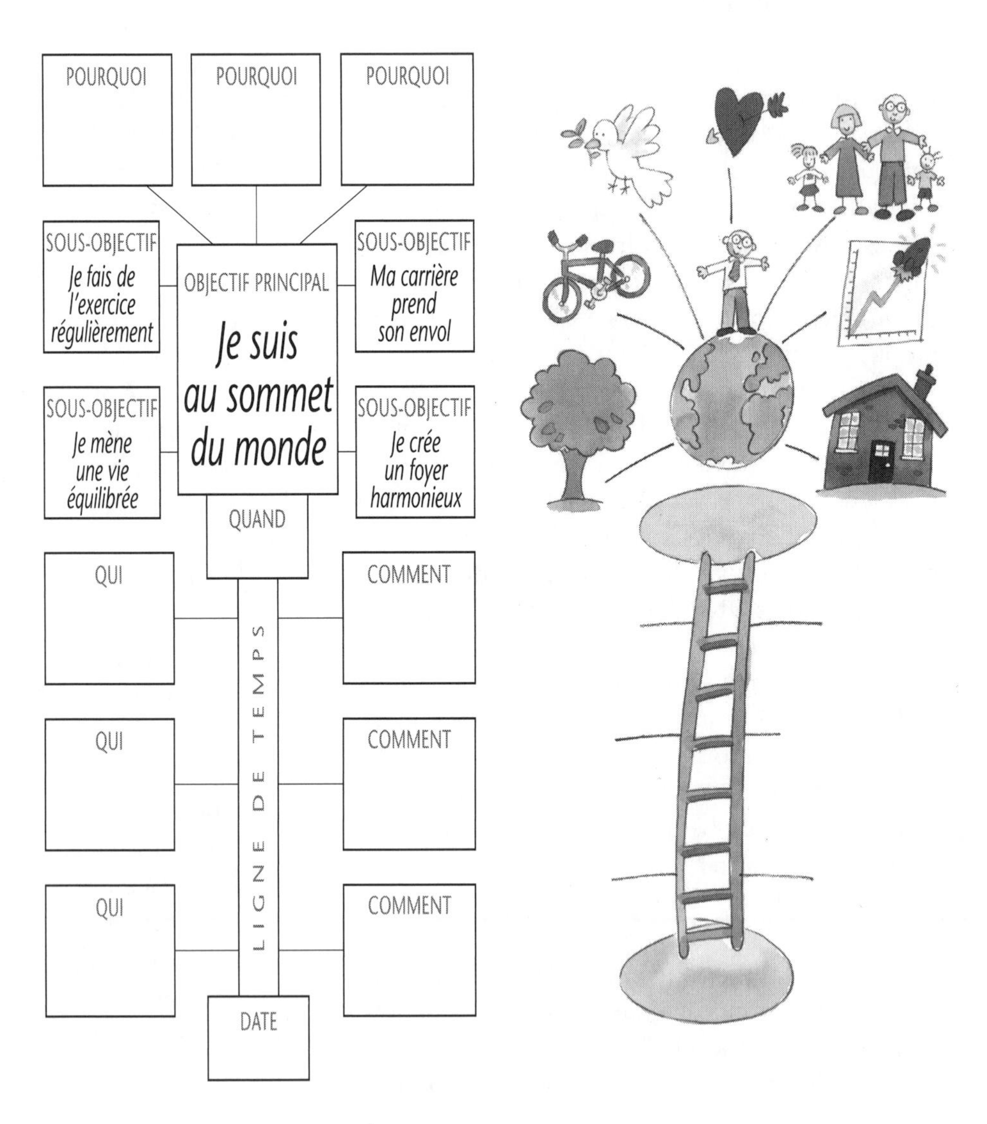

Étape 4 – Pourquoi ?

Étape 5 – Quand

Quand le voulez-vous ?

Jusqu'ici, les étapes que vous avez franchies ont fait travailler vos deux hémisphères cérébraux. Le fait de *Rêver* a activé votre hémisphère droit, et le fait d'*Ordonner* a fait travailler votre hémisphère gauche, puis le fait de *Dessiner* et de répondre à la question *Pourquoi* vous a renvoyé à votre hémisphère droit. En ce qui concerne la question *Quand* de l'étape 5, il vous faudra utiliser vos deux hémisphères pour choisir une date d'accomplissement pour votre objectif principal.

Dans la mesure où la vie comporte son lot d'incertitudes, vous n'avez d'autre choix que de faire appel à votre hémisphère gauche pour fixer une date, car nul ne peut être absolument certain de ce que l'avenir nous réserve. Après avoir projeté une date qui semble convenir, écoutez aussi votre hémisphère droit pour vérifier qu'elle semble « bonne ».

Concentrez-vous sur une date pour votre *Objectif principal*, car une fois atteint, cet Objectif vous permettra de fixer tous les autres. Ainsi, une fois que vous avez déterminé une date qui vous convient, inscrivez-la dans le petit cercle situé juste en dessous de votre *Objectif principal*. Maintenant, écrivez la date d'aujourd'hui dans le petit cercle situé au bas de la page.

Les lignes parallèles entre les deux cercles forment maintenant le tronc de votre Carte d'objectifs sur lequel vous pouvez accrocher les étapes 6 et 7. Le tronc sert aussi de ligne de temps entre la date de départ et la date d'accomplissement. Beaucoup de gens trouvent commode de diviser cette ligne de temps en tronçons égaux représentant les jours, les semaines, les mois ou les années consacrés à l'atteinte de leur objectif. Assurez-vous d'écrire les dates sur les modèles de l'hémisphère gauche et droit.

Le temps est notre atout le plus précieux, pourtant nous avons tendance à le perdre, à le tuer et à le laisser passer plutôt qu'à l'investir.
JIM ROHN

Il y a dans les affaires humaines une marée montante; qu'on la saisisse au passage, elle mène à la fortune; qu'on la laisse passer, tout le voyage de la vie échoue dans les bas-fonds et les misères.
WILLIAM SHAKESPEARE

Si je ne suis pas pour moi, qui le sera? Et si je ne suis que pour moi, qui suis-je? Et si pas maintenant, quand?
HILLEL

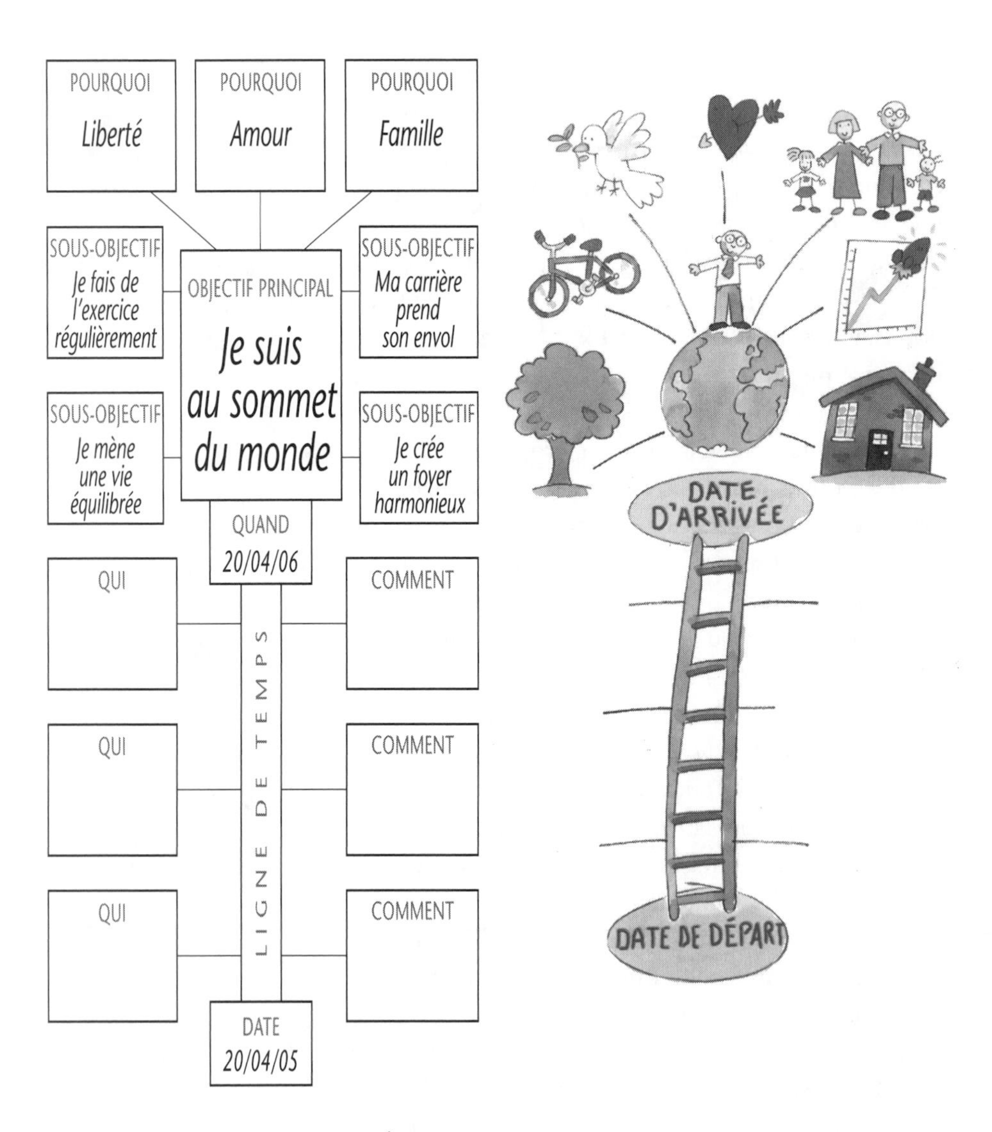

Étape 5 – Quand ?

Étape 6 – Comment

Comment allez-vous y parvenir ?

Le *Comment* de l'étape 6 vous amène à travailler de nouveau avec votre hémisphère gauche pour commencer à identifier certaines des actions que vous devrez entreprendre pour atteindre vos objectifs.

Y a-t-il de nouvelles compétences que vous devez acquérir ?

Aurez-vous besoin de :

- rechercher des informations ?
- prévoir du temps libre ?
- suivre un cours ?
- rassembler des ressources ?
- économiser de l'argent ?

Placez toujours la première action que vous pouvez entreprendre sur la branche du bas, puis ajoutez les autres, en remontant vers vos objectifs. Une fois encore, écrivez vos énoncés dans les cases du *Comment*, sur votre modèle de l'hémisphère gauche, et représentez-les à l'aide de dessins et de symboles sur les branches correspondantes, sur le modèle de l'hémisphère droit.

Les modèles de Goal mapping sont conçus pour ne reproduire que trois actions principales (ou *Comment*), mais au chapitre suivant, on expliquera comment ajouter davantage de détails.

> **La vie est une combinaison unique de « vouloir » et de « comment », et il est nécessaire d'accorder une attention égale aux deux.**
> JIM ROHN

> **Un voyage de mille lieues commence toujours par un pas.**
> LAO-TSEU

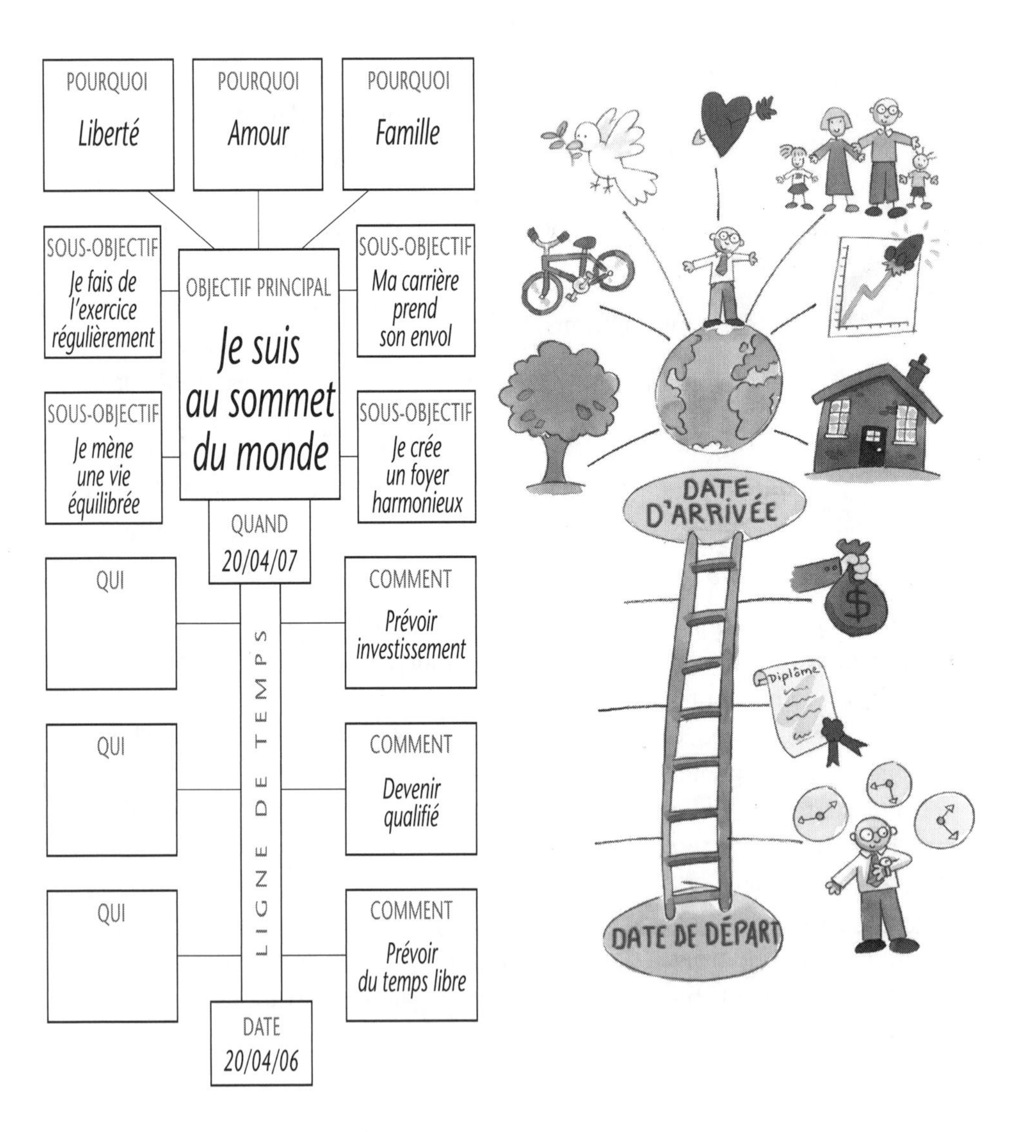

Étape 6 – Comment ?

Étape 7 – Qui

De l'aide de qui aurez-vous besoin ?

> **On ne peut pas tenir une torche pour éclairer le chemin d'autrui sans éclairer le sien.**
>
> AUTEUR INCONNU

> **Il faut beaucoup de courage pour montrer ses rêves à autrui.**
>
> ERMA BOMBECK

La dernière étape du processus de Goal mapping est l'étape 7 *Qui*. De l'aide de qui aurez-vous besoin pour atteindre vos objectifs ? En effet, la plupart des objectifs majeurs nécessiteront des conseils ou de l'aide. Vous pourrez, par exemple, vous inspirer d'un modèle pour atteindre votre objectif, à savoir de quelqu'un qui a atteint un objectif similaire. Si vous ne connaissez personne dans votre entourage, vous pouvez demander aux autres de vous recommander quelqu'un ou faire des recherches sur Internet. Un mentor ou un conseiller pourrait vous apporter une aide précieuse. Parfois, il peut s'agir d'un ami ou d'un membre de votre famille qui vous aide et vous encourage. N'ayez jamais peur de demander de l'aide ou des conseils.

Dans l'histoire, les personnes qui ont le plus réussi ont su reconnaître leurs forces et leurs limites, et demander de l'aide et des conseils à des individus qu'ils estimaient plus intelligents, mieux informés ou plus éclairés qu'eux-mêmes.

Vous pouvez aussi décider d'inscrire votre propre nom sur la branche. Si tel est le cas, gardez à l'esprit le principe « *être*, *faire*, *avoir* » dont nous avons parlé plus tôt et considérez les traits de caractère particuliers ou les façons d'*être* qui vous seront les plus utiles pour atteindre vos objectifs.

Une fois que vous aurez identifié certaines personnes dont vous aimeriez solliciter l'aide, ou vos propres traits de caractère dont vous pourriez avoir besoin, écrivez-les dans les cases *Qui* de votre Carte d'objectifs de l'hémisphère gauche. Ensuite, tracez les dessins ou les symboles correspondants sur les branches de votre Carte de l'hémisphère droit. Placez les noms des personnes ou des traits de caractère dont vous avez besoin sur les branches qui sont situées à l'opposé de la compétence ou de l'action pour laquelle ils peuvent vous aider.

Si vous avez besoin d'un conseil ou d'une information précise mais que vous ne savez pas à qui vous adresser, représentez-le à l'aide d'un dessin, d'un symbole ou d'un mot clé, en espérant que le moment venu, votre subconscient saura vous manifester l'information.

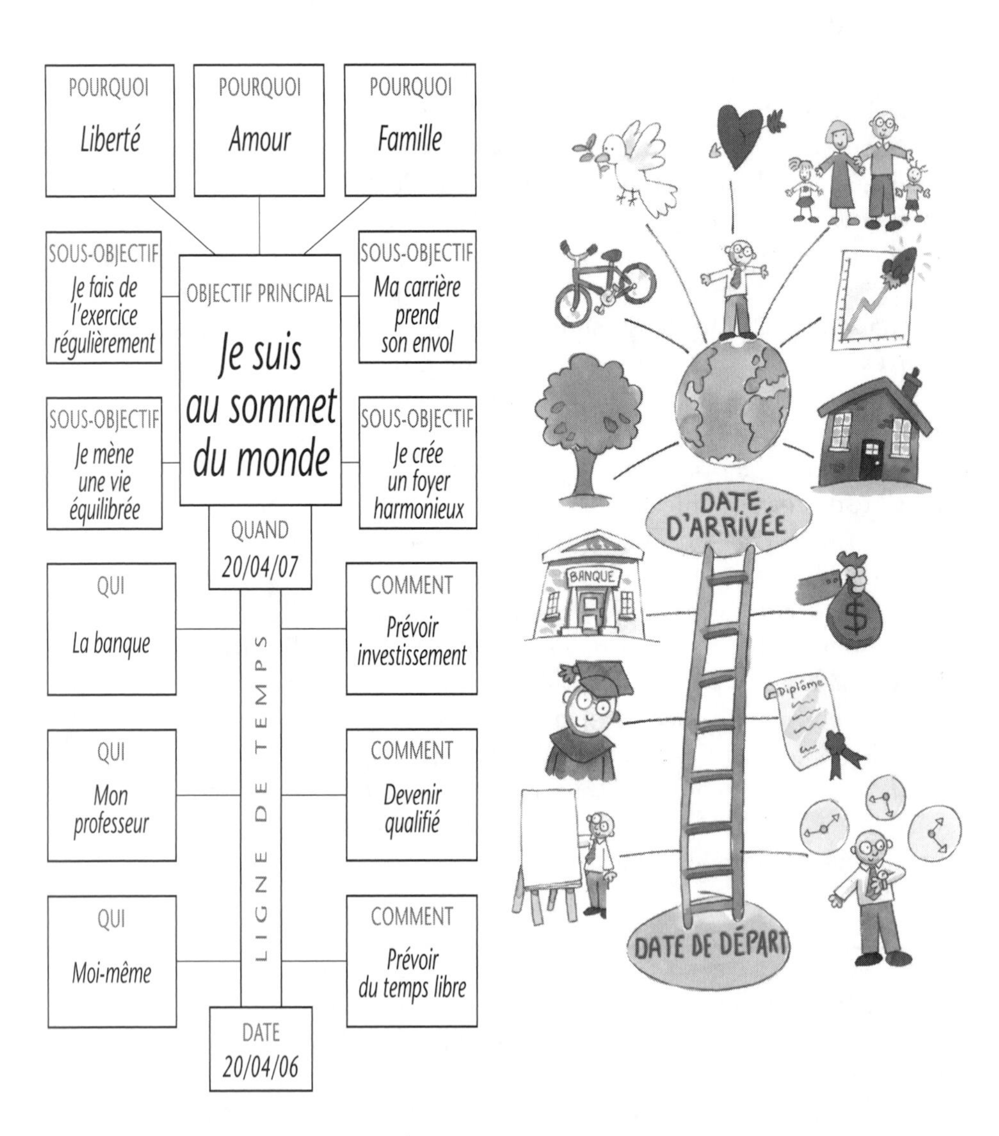
POURQUOI
Liberté
POURQUOI
Amour
POURQUOI
Famille
SOUS-OBJECTIF
Je fais de l'exercice régulièrement
OBJECTIF PRINCIPAL
Je suis au sommet du monde
SOUS-OBJECTIF
Ma carrière prend son envol
SOUS-OBJECTIF
Je mène une vie équilibrée
SOUS-OBJECTIF
Je crée un foyer harmonieux
QUAND
20/04/07
QUI
La banque
COMMENT
Prévoir investissement
QUI
Mon professeur
COMMENT
Devenir qualifié
QUI
Moi-même
COMMENT
Prévoir du temps libre
LIGNE DE TEMPS
DATE
20/04/06
DATE D'ARRIVÉE
BANQUE
Diplôme
DATE DE DÉPART

Étape 7 – Qui ?

Chapitre 7

Le rituel du Goal mapping

Le point situé entre l'endroit où vous êtes et celui où vous choisissez d'être est l'état intermédiaire dans la réalisation de vos objectifs. Pour y parvenir, il faut utiliser des techniques régulières et efficaces, ou observer le rituel suivant : signer, voir, dire, sentir, croire et atteindre.

Conception et continuation

Un nouveau départ, avec la fin à l'esprit.

Félicitations. Vous avez presque terminé votre première Carte d'objectifs, qui représente le début de la nouvelle vie que vous avez choisie. Au cours du processus de création de votre Carte, vous avez engendré une nouvelle forme de pensée, attirante pour votre avenir. Vous y êtes parvenu par la concentration mentale, soit en envisageant l'imagerie de l'hémisphère droit à l'aulne des déclarations de votre hémisphère gauche, le tout combiné au geste

> **Ce qu'un homme aura semé, il le récoltera aussi.**
> GALATES 6 : 7

(physique) de dessiner votre Carte d'objectifs. Ensemble, ces activités vous ont aidé à maintenir votre attention et à créer un nouvel ordre de pensée dominante pour votre subconscient et votre surconscient. Cette nouvelle *pensée dominante* est comme une pilule pour le maintien de la vision de votre avenir ou une graine de demain que vous avez plantée aujourd'hui. Mais il est important de continuer à vous (pré)occuper de cette graine, de sorte que votre subconscient travaille de concert avec vous pour la faire pousser, et que votre surconscient l'attire de plus en plus.

Ce chapitre a pour objet le rituel de Goal mapping: une série d'étapes supplémentaires qui vous aideront à accroître le pouvoir de votre Carte d'objectifs ainsi que la manifestation de vos désirs.

Rappelez-vous, plus vous élèverez le niveau d'énergie de votre nouvel ordre de pensée au-dessus de celui de toute ancienne croyance limitative, voire du doute, plus vite votre subconscient œuvrera en faveur de la réalisation de vos objectifs.

Signer

Prenez un engagement envers vous-même.

Pour compléter votre Carte d'objectifs et renforcer votre pouvoir, il ne vous reste plus qu'à la signer. Votre signature est la marque de votre engagement. C'est la façon tout indiquée pour dire que vous tiendrez promesse. C'est pourquoi tant de documents importants exigent une signature.

Votre Carte d'objectifs pourrait être l'un des documents les plus importants que vous aurez à signer, alors signez-la avec enthousiasme. Ce faisant, faites-vous la promesse de tenir parole et poursuivez jusqu'au bout les actions nécessaires à l'atteinte de vos objectifs.

> **Pour gagner... il faut rester dans la partie.**
> CLAUDE M. BRISTOL

> **La détermination est le moteur de la volonté humaine.**
> ANTHONY ROBBINS

Engagement

Restez fidèle à vous-même.

Il existe de nombreuses définitions de l'engagement, et celle du conférencier George Zaluki figure parmi mes préférées: « L'engagement véritable, c'est de faire la chose que vous aviez dit que vous feriez, même si vous n'êtes plus dans le même état d'esprit qu'au moment où vous l'aviez dit. »

Il y a tant de gens qui font des promesses et prennent des engagements, et qui sont sincères sur le moment, mais qui, par la suite, pour toutes sortes de raisons, ne ressentent plus les choses de la même manière. Leur engagement cesse alors d'être une priorité, et souvent, ils manquent à leur parole.

Tenir parole, envers soi-même et les autres, est un aspect essentiel dans l'édification du respect de soi et le renforcement de la foi et de la confiance en soi. Il s'agit, en somme, du véritable pouvoir que vous ayez dans la vie. Et cela nourrit la confiance, inspire le respect et crée une synergie.

Rien n'est plus puissant qu'une personne qui concrétise ses paroles par des actions et qui fait ce qu'elle a dit qu'elle ferait. À l'inverse, rien n'est plus décevant qu'une personne qui parle beaucoup, mais qui n'entreprend guère d'actions concrètes et qui, au fond, agit peu.

Engagement durable

Le ciment de la réussite.

Si j'ai toujours su qu'il était réellement important de prendre des engagements et de s'y tenir, la réalité est qu'au cours des dernières années, j'ai trouvé que c'était très difficile.

Cela a été particulièrement vrai lorsque j'ai tenté de me débarrasser d'habitudes profondément ancrées qui avaient une forte emprise sur moi, par exemple

Fit faillite à l'âge de 31 ans.
Fut battu aux élections législatives à 32 ans.
Fit de nouveau faillite à 34 ans.
Vit mourir sa petite amie à 35 ans.
Fit une dépression nerveuse à 36 ans.
Fut battu aux élections locales à 38 ans.
Fut battu aux élections du Congrès à 43 ans.
Fut battu aux élections du Congrès à 46 ans.
Fut battu aux élections du Congrès à 48 ans.
Fut battu aux élections du Sénat à 55 ans.
Fut battu à la vice-présidence à 56 ans.
Fut battu aux élections du Sénat à 58 ans.
À l'âge de 60 ans, Abraham Lincoln fut élu Président des États-Unis.

LE PARCOURS D'ABRAHAM LINCOLN

la cigarette. Je me suis dit à maintes reprises que c'était la dernière cigarette, et ce, pour finalement en fumer une autre quelques jours plus tard. Plus je manquais à ma parole, pire c'était; à tel point que j'étais devenu si «faible» que je pouvais me faire la promesse de ne pas fumer le matin et fumer dans l'après-midi. Parfois, j'étais même incapable de prendre un quelconque engagement.

Toutefois, plus on persévère dans quelque chose et plus on se remet en question; plus on apprend et plus on est déterminé. Progressivement, on réussit à aller de l'avant. Voici ce qui m'a aidé à développer mon «muscle» d'engagement:

> Celui qui a une raison de vivre peut presque tout endurer.
> FRIEDRICH NIETZSCHE

> C'est dans les moments de décisions que notre destin prend forme.
> ANTHONY ROBBINS

- Avoir une raison (une croyance plus profonde) qui me dépasse.
- Comprendre que les revers et les échecs sont des expériences d'apprentissage et font partie de la réussite.
- Garder à l'esprit les raisons qui m'ont poussé à prendre cet engagement au début.
- Trouver le courage de rendre mon engagement public. Il est généralement plus difficile de manquer à sa parole envers les autres qu'envers soi-même.
- Me rendre compte que l'engagement n'est pas une promesse exceptionnelle, mais plutôt un choix continuellement répété.

Faire le choix

Le dernier point de ma liste, à savoir que l'engagement est un choix continu, voire constamment renouvelé, a été un facteur déterminant pour moi, parce que j'étais profondément convaincu du contraire. Je considérais l'engagement comme un acte ponctuellement isolé, donc exceptionnel.

En réalité, la façon dont on prend un engagement et dont on le tient envers soi-même et envers quiconque, c'est en choisissant de le faire : chaque jour, chaque instant, chaque fois qu'on a l'occasion de manquer à sa parole et de choisir quelque chose de différent. L'engagement véritable est un processus à renouveler à tout instant, et non pas une promesse occasionnelle.

Grâce à cette nouvelle façon d'envisager l'engagement, je me suis rendu compte que si je manquais à ma parole et que je faisais quelque chose que j'avais dit que je ne ferais pas, je pouvais dès lors renouveler mon engagement et revenir sur le droit chemin. Je me félicitais du laps de temps pendant lequel j'avais respecté mon engagement, quelle qu'en soit la durée, et je me disais que je tiendrais plus longtemps la prochaine fois si je me réengageais. De cette façon, mon engagement s'est renforcé à chaque fois, jusqu'à ce que je sois capable de relever le défi en question et de rester fidèle à mes intentions, sans effort conscient et constant.

Mon ancienne approche, qui était inefficace, prônait le contraire. Je considérais l'engagement comme un acte exceptionnel qui, une fois perdu, était terminé. Cela voulait dire que lorsque je faisais un écart, mon attitude se dégradait et culminait, dans le cas de la cigarette, à cette pensée : « À quoi bon insister ? Maintenant que j'en ai fumé une, autant fumer tout le paquet. » Très rapidement, mon niveau d'énergie baissait et je retombais dans la même structure d'habitudes.

Si comme moi vous avez éprouvé des difficultés à prendre ou à tenir vos engagements, considérez les cinq points clés mentionnés ci-dessus, et essayez tout de même de prendre ces engagements « difficiles » de façon plus ludique.

Tant que ce n'est pas mauvais pour votre santé ou celle d'autrui, et que c'est réellement pour votre bien, à titre d'exercice, faites-vous une promesse que vous tiendrez une heure, une journée, une semaine, un mois, du moins ce qui vous semble juste, et voyez si cela fonctionne mieux pour vous. Cela vous permettra d'édifier progressivement votre habitude de pensée positive.

Le plus grand pouvoir qui ait été accordé à l'humanité, c'est le pouvoir du choix. Choisissez de persister sans exception. Tenez à vos rêves et restez dans la course, même en cas d'épuisement, de rejet et d'incertitude.

ANDY ANDREWS

Nous façonnons d'abord nos habitudes, puis nos habitudes nous façonnent.

JOHN DRYDEN

Certaines personnes estiment qu'il s'agit d'une « dérobade ». Dans un de mes ateliers, un homme a protesté en disant que cette approche était trop souple, et qu'ainsi il se laisserait souvent aller à continuer quelque chose qu'il savait devoir changer.

J'ai souvent entendu cet argument chez toutes sortes de gens, et je tenais également ce discours par le passé. Cependant, j'ai appris qu'on ne progresse pas en se culpabilisant; cela nous donne une mauvaise opinion de nous-même et de nos capacités d'engagement et de persistance. De plus, il est crucial de rester attentif au principe fondamental qui est en jeu ici: ce à quoi on résiste persiste.

Quand on est profondément ou émotionnellement engagé envers une chose à laquelle on essaie de *résister* (par exemple le tabac), l'acte de résistance ne fait que renforcer l'attention et l'attachement qu'on lui porte – ce qui veut dire que l'on va davantage générer ou attirer ce à quoi on veut résister. Les énergies contradictoires de résistance et d'attraction créent une spirale descendante, où les pensées d'échec se soldent par des niveaux d'estime de soi encore plus bas et, par conséquent, par une capacité réduite à demeurer engagé.

Acceptez tout de vous, vraiment tout. Vous êtes qui vous êtes et c'est le début et la fin – pas d'excuses, pas de regrets.
CLARK MOUSTAKAS

Et la pluie finit par user le marbre.
WILLIAM SHAKESPEARE

Une spirale ascendante

Votre parole envers vous-même est le lien le plus fort qui soit.

À la différence de ce qui est mentionné ci-dessus, chaque fois que vous parvenez à tenir parole envers vous-même, ne serait-ce que pour une heure, vous ferez travailler ce que j'appelle votre muscle d'engagement et vous conduirez votre estime de vous-même dans un cycle ascendant.

Attention, il ne s'agit pas de prendre un engagement pour une journée et de le tenir une heure. Cette approche fonctionne lorsque vous prenez un engagement pour une heure et que vous le tenez une heure.

Chaque fois que vous parvenez à le faire, vous faites travailler et renforcez votre muscle d'engagement. Renouvelez alors cet engagement en vous efforçant d'étirer légèrement la durée. Par exemple, si vous pouvez tenir une heure sans difficulté, tentez deux heures. Lorsque vous êtes à l'aise avec deux heures, passez à trois heures, puis une journée, une semaine, un mois. De cette façon, vous renforcerez progressivement votre engagement, votre estime de vous-même, et vous vous forgerez une volonté d'acier.

Voir

Visualisez votre Carte d'objectifs.

Être capable de prendre un engagement et de s'y tenir est vital pour atteindre vos objectifs, car chaque accomplissement impliquera invariablement de payer un prix, qu'il s'agisse de temps, d'efforts ou de ressources quelconques. Et le prix à payer est proportionnel à l'ambition de l'objectif. Toutefois, comme le dit si efficacement Jim Rohn, un autre grand conférencier: «Les gens sont prêts à payer le prix si la promesse est claire. Mais si la promesse n'est pas claire, le prix est toujours trop élevé.»

Un gagnant n'abandonne jamais, tandis qu'un velléitaire ne gagne jamais.
AUTEUR INCONNU

Quand il n'y a pas de révélation, le peuple est sans frein.
PROVERBES **29: 18**

Si vous demeurez conscient de la vision que vous avez de votre avenir, et surtout des raisons *pour lesquelles* vous le voulez de telle manière, vous resterez fidèle à votre promesse envers vous-même et vous n'hésiterez pas à payer le prix nécessaire pour poursuivre votre objectif. Si vous perdez de vue votre rêve dans le brouillard du doute de soi, tout prix ou tout effort vous semblera trop élevé, votre engagement s'affaiblira et vous ne tiendrez pas parole.

Aidez-vous à rester conscient de ce qui est primordial pour vous, en regardant votre Carte d'objectifs tous les jours. Regarder, et surtout visualiser, participe du geste (physique) de votre réengagement. C'est une démonstration de votre foi en vous-même et en vos objectifs.

Placez votre Carte d'objectifs dans un endroit où vous la verrez régulièrement. Comme je suis souvent en déplacement, je conserve ma Carte d'objectifs principale dans un cahier. Mes lieux de prédilection sont toutefois le mur de ma chambre et le réfrigérateur. Ce sont des endroits stratégiques parce que je peux regarder ma carte avant de me coucher et lorsque je me lève le matin. Le lever et le coucher sont particulièrement indiqués pour revoir vos objectifs, car ce sont les moments où votre cerveau est le plus réceptif: le rythme alpha.

Rythme alpha

Le cerveau opère à différentes fréquences d'ondes ou différents rythmes, et ce, à différents moments de la journée. Au réveil et au coucher, le cerveau est en « rythme alpha », et on estime que dans cet état mental, la connexion avec le subconscient est jusqu'à 100 fois plus intense qu'en milieu de journée. Le rythme alpha est l'état d'esprit dans lequel on entre quand on médite ou que l'on est sous hypnose. C'est l'état mental dans lequel on guérit le plus, on apprend le plus et on a les meilleures idées ou intuitions. On entre naturellement dans cet état au réveil et au coucher.

Le fait de consacrer quelques instants à regarder votre Carte d'objectifs pendant que vous êtes en rythme alpha permet de surmonter le doute de soi et d'accentuer votre ordre d'objectif à l'endroit de votre subconscient, ainsi que de vous rappeler consciemment ce que vous avez choisi. Il s'agit d'un aspect crucial du rituel de Goal mapping qui est source de grandes récompenses pour ceux qui en cultivent l'habitude.

Dans le cadre de mon travail de formation dans les grandes entreprises, je dirige un atelier en quatre parties intitulé « Le programme de leadership personnel ». Le thème principal du programme est le suivant: le véritable leadership ne relève pas tant de ce qu'on *fait* que de la personne que nous choisissons d'*être*, notamment une personne *motivée* et *dévouée*. Or ce dernier point est vraiment déterminant dans ce que l'on *fait* et donc dans les résultats qu'on *obtient*.

Des personnes aux capacités médiocres accomplissent parfois de grandes choses parce qu'elles ne savent pas quand abandonner. La plupart des gens réussissent parce qu'ils y sont déterminés.

George E. Allen

Ce qui compte n'est pas tant ce que l'on fait que l'Amour qu'on y investit.

Mère Teresa

Les quatre jours d'ateliers ont généralement lieu à trois mois d'intervalle, le Goal mapping étant la matière de base. À la fin du premier atelier, tout le monde part avec une Carte d'objectifs complétée. Et à chacun, je fais la recommandation de placer sa Carte dans un endroit en évidence, et de *la regarder* quelques instants chaque jour, jusqu'au prochain atelier.

Lorsque nous sommes de nouveau réunis trois mois plus tard, je suis toujours en mesure de dire qui, dans le groupe, m'a écouté et a regardé régulièrement sa Carte d'objectifs, car ce sont ceux qui ont l'air épanoui, leur Carte devant eux. Ce sont ceux qui ont hâte de me raconter tout ce qu'ils ont accompli depuis notre dernière rencontre.

En revanche, pour la plupart, les autres affirment qu'ils étaient motivés et inspirés après le dernier atelier, mais qu'en raison de pressions ou de crises dans leur vie, ils ont perdu contact avec la matière, avec leurs sentiments positifs et leurs bonnes intentions, et sont ainsi retombés dans leurs vieilles (et souvent mauvaises) habitudes.

Lorsque je leur demande s'ils ont regardé leur Carte d'objectifs, il est rare qu'ils l'aient fait. Souvent, ils ne savent même pas où elle se trouve. Les prétextes vont de « J'ai été trop occupé », « Elle est peut-être au fond d'un tiroir », « Je l'ai perdue » au prétexte que je préfère : « Le chien l'a mangée ».

Ce sont les mêmes personnes qui sont sortis du premier atelier avec le sentiment que leurs objectifs étaient très importants ; mais ils ont négligé de les renforcer, et leur attention a alors été distraite par autre chose.

Les gagnants sont ces personnes qui prennent l'habitude de faire les choses que les perdants sont mal à l'aise de faire.

ED FOREMAN

Qui sème un acte récolte une habitude. Qui sème une habitude récolte un personnage. Qui sème un personnage récolte une destinée.

CHARLES READE

La technique de Goal mapping fonctionne très bien, mais vous *devez* mettre la main à la pâte, donc vous y investir. Votre Carte d'objectifs est tout simplement une façon de concentrer et d'accroître votre énergie créative naturelle, mais elle requiert votre participation, sans quoi il y aura peu de choses qui croîtront. Le fait de regarder votre Carte une fois par jour décuple votre pouvoir et constitue une sorte de turbo à votre capacité de vous manifester, voire vous exprimer à un degré supérieur.

Maintenir la vision

Le moyen que je vous recommande pour atteindre vos désirs les plus profonds n'est en rien une nouvelle mode ou une quelconque lubie. Depuis des millénaires, des cultures du monde entier et presque toutes les religions utilisent différents types d'imagerie, de symboles et, de manière rituelle, se mettent dans différents états de transe pour influencer la création et pratiquer la manifestation consciente.

Les enseignements tantriques d'Inde, qui ont influencé beaucoup d'autres cultures, placent l'imagerie et le symbolisme au cœur de leur approche. Ces enseignements, qui sont centrés sur l'évolution personnelle et la création consciente, reposent en grande partie sur des dessins et des gravures symboliques appelés *Yantra*, qui sont des diagrammes visuels de pouvoir utilisés pour *maintenir* et de *développer* la conscience.

L'un des aspects centraux de l'enseignement tantrique ancien, et de la physique quantique moderne, c'est que toute création est faite d'énergie maintenue dans différents états de vibration. D'un point central de parfait équilibre cosmique, l'énergie irradie en couches vibrationnelles formant des atomes, qui eux-mêmes forment tout ce qu'on peut voir, toucher, goûter, entendre et sentir. Tout est relié. Par exemple, une forme n'est qu'un point à l'échelle vibratoire, et elle a un *son* et une *couleur* qui lui correspondent.

> **La première étape du devenir est de le souhaiter.**
> MÈRE TERESA
>
> **Je vais vous dire une chose: tout ce que vous voyez dans votre monde est le produit de l'idée que vous en avez.**
> NEALE DONALD WALSCH

Le principe, selon lequel tout est relié, est au cœur de presque tous les enseignements mystiques anciens, et a conduit à l'utilisation de symboles pour la manifestation.

En créant une image ou une représentation visuelle de votre intention, vous maintenez essentiellement cette énergie. C'est comme créer un moule dans lequel pourra croître l'énergie que nécessite l'objectif. En effet, si vous pouviez observer l'énergie déployée par un gland, vous verriez un flot de particules mouvantes, attirées à l'intérieur du gland et moulées en un chêne majestueux. En appliquant ces mêmes principes, vous regarderez plus souvent votre Carte d'objectifs et visualiserez votre intention comme si elle était *déjà accomplie*. Ainsi, plus l'énergie générée sera grande et plus votre intention sera déterminée, amenant alors votre objectif à se manifester.

Dire

Affirmez votre Carte d'objectifs.

Si le Yantra constitue une image du pouvoir dans les enseignements tantriques, le *Mantra* est l'équivalent sonore. Toute pensée est énergie et véhicule des vibrations, mais une pensée verbalisée, sous forme de sons audibles, atteint un niveau d'énergie beaucoup plus élevé. Le fait de dessiner votre Carte d'objectifs maintient vos pensées et génère le pouvoir initial, tandis que le fait de la regarder ou de la *visualiser* renforce ce même pouvoir. Or la prochaine étape consiste à dire ou à *affirmer* cet objectif, ce qui accroît davantage la vibration et l'énergie.

En *affirmant* régulièrement votre objectif sous la forme d'un Mantra, c'est-à-dire en l'énonçant à voix haute au *présent*, à l'*affirmatif* et de façon *personnelle*, vous générez de l'énergie positive. Si vous le faites en visualisant votre Carte d'objectifs, qui correspond à votre diagramme de pouvoir personnel, l'effet sera encore plus manifeste. En clair, cette pratique vous aide à clarifier vos objectifs au niveau conscient, tandis qu'au niveau subconscient, elle souligne votre ordre dominant à votre subconscient. Au niveau surconscient, elle invoque la loi universelle de l'attraction.

Sentir

Sentir l'avenir.

Une fois terminée, votre Carte d'objectifs embrassera votre énergie. Employez-vous à développer votre pouvoir subconscient en concentrant votre attention sur votre Carte une fois par jour, tout en affirmant votre objectif à voix haute. L'énergie affluera vers les centres d'attention, et si elle est utilisée de cette façon, votre Carte d'objectifs deviendra un entonnoir et un filtre pour vos énergies créatives qui se propagent dans l'univers.

Dans le Chapitre 2, on analyse l'apport de l'émotion sur nos actions, par le renforcement de la pensée et du langage. Qu'elles soient exprimées sous forme d'images ou de mots, vos émotions alimentent vos ordres de pensée et augmentent vos chances de réaliser vos rêves. Pour accroître l'énergie vibrationnelle de votre Carte et votre capacité à atteindre vos objectifs, assurez-vous qu'après avoir *vu* et *affirmé* votre Carte, vous la *sentez* réellement.

Trouvez un endroit calme dès le réveil, même si cet endroit est dans votre tête.

> **Pour apprendre une chose vite et bien, il faut la voir, l'entendre et la sentir.**
> TONY STOCKWELL
>
> **Celui qui règne sur son royaume intérieur et qui maîtrise ses passions, ses désirs et ses peurs est plus qu'un roi.**
> JOHN MILTON

- *Voir* – Prenez un moment pour vous imaginer en train d'atteindre vos objectifs.
- *Dire* – Tandis que vous énoncez vos objectifs à voix haute, sentez ce que ce serait de vivre une fois vos objectifs atteints.
- *Sentir* – Manifestez vos émotions dans le moment présent. Autorisez-vous à vraiment *sentir* les émotions et les sensations et, ce faisant, vous ancrerez vos futures intentions dans le *moment présent*.

C'est le même processus de base que lorsqu'on revit un souvenir, mais à l'envers. Vivez, dans le moment présent, le futur que vous vous êtes choisi en l'imaginant, en le disant et le sentant.

Enfin, unissez les trois étapes en une avec votre respiration:

- Regardez votre Carte d'objectifs et inspirez comme lorsque vous visualisiez vos objectifs: deux inspirations par le nez, jusque dans votre ventre, puis imaginez votre Carte d'objectifs, et énoncez votre objectif tandis que vous expirez par la bouche.

- Répétez le processus pour chaque objectif, raison ou action qui figure sur votre Carte. Inspirez par le nez pendant que vous observez chaque élément de votre Carte, puis visualisez et affirmez ces éléments tandis que vous expirez par la bouche.

S'il peut sembler un peu étrange au départ, cet exercice est une excellente façon d'engager votre esprit en rythme alpha, c'est-à-dire de créer un lien plus fort avec votre subconscient. Cela vous aide également à maintenir votre attention et à être davantage lucide. Les 10 000 000 000 000 000 000 atomes contenus dans chaque inspiration s'harmonisent alors avec vos intentions et s'incorporent à votre énergie personnelle, avant d'être exhalés dans l'univers, créant ainsi une attraction.

Ce rituel ne nécessite que quelques instants et récolte de nombreux bénéfices. En plus d'être calmant, voire relaxant, il concentre votre esprit sur vos objectifs, vous offrant ainsi des perspectives plus profondes.

On forge son art par la pratique et la pensée.
VIRGILE

Croire et atteindre

Faites preuve d'une foi active.

Forger votre foi en vous-même constitue l'objectif essentiel de toute réalisation d'objectif. Votre degré de croyance (foi) est proportionnel à votre pouvoir de créer vos désirs. Ainsi, une foi absolue en vous-même culmine à un pouvoir absolu de manifestation.

En suivant les étapes mentionnées ci-dessus et en observant le rituel de Goal mapping (se *réengager*, *imaginer*, *affirmer* et *sentir*), vous commencerez naturellement à faire grandir votre foi en vous. Pour vous assurer de la maintenir, voici une dernière recommandation à ajouter au rituel : engagez-vous à faire preuve d'une *foi active* en vous. La foi active est une manifestation de votre foi en vous-même par vos actions. C'est par la pensée, les mots et les *actes* que nous créons notre monde. Il ne faut jamais fixer d'objectif sans entreprendre quelque forme d'action positive.

Certes, il vous faudra un certain temps pour organiser la majorité des actions à entreprendre pour l'atteinte de votre objectif. Mais il y a toujours quelque chose que vous pouvez faire. Commencez à passer des coups de fil, à organiser des rendez-vous avec les personnes que vous avez choisies pour vous aider, à vous inscrire à des cours ou à rechercher des informations.

> Une foi absolue attire les faits. Ils sortent des trous et des fissures pour soutenir la foi, mais ils fuient le doute.
> FINLEY PETER DUNNE

> Nos gestes quotidiens nous définissent. Dès lors, l'excellence est non pas un acte mais une habitude infinie.
> ARISTOTE

Le défi

Relever un défi mental de 13 jours est certes une des meilleures choses que j'ai faites pour m'entraîner à renforcer mes objectifs.

Le défi est simple: penser, sentir et agir de façon positive pendant 13 jours consécutifs. Il faudra tenir 13 jours; si vous craquez, ne serait-ce qu'une journée, et même s'il s'agit du jour 11 ou 12, vous devez alors recommencer au jour 1. Dans tous les cas, vous n'avez pas droit à plus d'une minute de *négativisme* (pessimisme). Si cela vous arrive, tâchez de vous en rendre compte immédiatement et de redevenir positif.

Comment s'y prendre? Tout simplement en suivant les étapes, en choisissant de se concentrer sur le positif. D'autant que vous avez déjà identifié et consigné vos pensées et sentiments les plus positifs sous la forme d'une Carte d'objectifs. En somme, si vous voulez relever le défi en question, tout ce que vous aurez à faire pour revenir à un état d'esprit positif, ce sera de bien visualiser vos objectifs.

> Une fois en acte le principe du mouvement, les choses s'enchaînent sans interruption.
> ARISTOTE

Créer un changement

La première fois qu'un de mes mentors m'a proposé le défi des 13 jours, je lui ai répondu que j'étais déjà dans un état d'esprit très positif et que je n'avais pas besoin de me soumettre à un tel défi. « Bien », a-t-il répondu, « ce sera donc très facile pour vous ».

Je dois vous dire que cela n'a pas été facile du tout. Cela a même été très difficile. La première fois que j'ai essayé, j'ai sombré dans le négativisme et la tristesse dès le troisième jour. J'ai donc dû recommencer, et je suis allé jusqu'au jour 7 cette fois-là. Il m'a fallu de nombreuses tentatives et beaucoup de jours pour tenir 13 jours consécutifs. Toutefois, les bénéfices en valaient la peine.

> **La tâche qui nous incombe, c'est de faire taire le négatif et les « Je ne peux pas » et de laisser parler les « Je peux ».**
> JACK BLACK

Treize jours consécutifs, c'est amplement suffisant pour tisser un nouveau canevas d'habitudes, sur le plan mental, émotionnel et physique. Le jour où j'ai mené à terme le défi, cela a créé un changement radical dans ma vision des choses, mon attitude et mes actions, et je n'ai plus jamais vu le monde et moi-même de la même façon.

Chapitre 8

Centrer votre Carte d'objectifs

La réalisation de tout objectif est un voyage. Tout au long de la route, le paysage change constamment.

Perspective

Clarté et distinction.

La vie est dynamique, et le chemin qui mène à vos objectifs se déroulera de façon organique. Si vous vous *impliquez* dans le processus et le rituel de Goal mapping, votre conscience *évoluera* nécessairement vers de nouveaux sommets, vous procurant ainsi de nouvelles *perspectives* qui, elles-mêmes, vous pousseront à agir pour atteindre vos objectifs.

Ces perspectives concerneront parfois des détails mineurs, parfois des développements de plus grande envergure. Certaines personnes se rendent même compte que certains de leurs objectifs ne correspondent pas réellement à ce qu'ils veulent, et décident alors de les reformuler.

> Le changement a mauvaise presse dans notre société. Il n'a pourtant rien de mauvais. Le changement est nécessaire pour continuer à avancer, à grandir, à maintenir notre intérêt. Imaginez une vie sans changement. Elle serait statique, ennuyeuse, terne.
>
> Dr Dennis O'Grady

Quelle que soit la nature ou la profondeur votre nouvelle perspective, ici s'appliquent les mêmes principes de base *de l'ordre conscient* manifesté à votre *génie subconscient*. Il vous faudra donc reproduire et intégrer toute nouvelle information ou perspective à votre Carte d'objectifs.

Extensions

Reproduire et étendre.

Il n'est pas inhabituel de décider de recommencer sa première Carte d'objectifs alors qu'on vient de la terminer. Cela est dû à la partie « dessin » qui stimule l'hémisphère droit et qui engendre de nouvelles idées, voire une nouvelle inspiration.

> **Quand une situation intérieure n'est pas amenée à la conscience, elle se manifeste à l'extérieur sous forme de destin.**
> C. G. Jung
>
> **Quand je regarde l'avenir, il est si radieux qu'il me brûle les yeux.**
> Oprah Winfrey

L'acte même de créer votre Carte d'objectifs aboutira souvent à toutes sortes de nouvelles réalisations, par exemple exprimer vos objectifs à l'aide d'images précises, ou ajouter des *objectifs*, *raisons* ou *actions* supplémentaires.

Si vous avez envie de redessiner totalement votre Carte d'objectifs, je vous recommande vivement d'écouter votre cœur et de recommencer. Ce processus vous sera utile de plusieurs façons qui renforceront vos ordres manifestés à votre subconscient.

Toutefois, si vous êtes satisfait de votre Carte et que vous souhaitez seulement y ajouter quelques objectifs, raisons ou actions, je vous suggère d'étendre votre Carte d'objectifs existante en suivant le processus simple énoncé ci-dessous.

Ajouter des détails à votre Carte d'objectifs, c'est comme faire le point sur votre rêve. Enrichir votre Carte vous aide à la maintenir vivante et croissante. C'est un processus simple qui consiste à attacher une autre feuille de papier (sur le côté, en haut ou en bas) à votre Carte, et à déployer votre texte et votre imagerie. Vous pourrez ainsi enrichir votre Carte de façon organique, en harmonie avec votre conscience grandissante.

Développer votre Carte d'objectifs

Ajouter des extras : raisons, objectifs ou actions.

Si vous souhaitez ajouter un autre motif (un *Pourquoi*) à votre Carte d'objectifs, il suffit d'attacher une nouvelle feuille de papier en haut de la Carte avec du scotch ou de la colle. Ensuite, tracez une branche qui va de la case de votre Objectif principal à la nouvelle page, et placez-y les images ou symboles qui représentent votre nouveau *Pourquoi*.

Pour vous assurer de maintenir l'équilibre de votre hémisphère gauche/droit, ajoutez une case à votre « modèle d'hémisphère gauche » ou écrivez à côté des cases existantes votre nouveau motif d'action.

Vous pouvez suivre le même processus de base pour ajouter d'autres objectifs. Écrivez-les de façon affirmative dans les cases de votre « modèle d'hémisphère gauche », en ajoutant du papier si cela est nécessaire. Fixez ensuite une feuille de papier sur le côté de votre Carte d'objectifs, ajoutez une branche qui part de votre Objectif principal ou Sous-objectif, et dessinez-y votre nouvelle image.

De la même manière, vous pouvez ajouter plus de détails à vos actions (les *Comment*). Chaque action identifiée est, en fait, un mini-objectif en soi, à savoir un objectif plus modeste que les autres objectifs et plus rapide à atteindre également.

Si vous voulez ajouter une perspective ou un détail à une action, la meilleure solution consiste à tracer une « sous-branche » à partir de la branche *Comment* existante.

Il est possible que votre action *Comment* nécessite des détails et une approche d'objectif à part entière. C'est particulièrement vrai pour les Cartes d'objectifs à long terme où des actions ou tâches importantes mènent à la réalisation d'un Objectif principal complexe ou de grande envergure.

Dans mon bureau, j'ai une Carte d'objectifs sur cinq ans qui reproduit ma vision de tous les différents domaines de mon travail.

> L'avenir, ce n'est pas l'endroit où l'on va, mais celui que l'on crée. Les chemins ne sont pas à trouver, mais à tracer. Et l'activité de tracer ces chemins change à la fois le traceur et sa destination.
> JOHN SCHAAR

> Il faut apprendre à voir les choses telles qu'elles sont, et non pas telles que nous les imaginons.
> VERNON HOWARD

> Les actions des hommes sont les meilleurs interprètes de leurs pensées.
> JOHN LOCKE

> Ceux qui ont accompli de grandes choses avaient de hautes aspirations, et avaient donc fixé leur regard sur un objectif élevé, qui semblait même parfois impossible.
> ORISON SWETT MARDEN

Dans la mesure où je sais que beaucoup de choses changeront d'ici cinq ans, j'ai dessiné ma Carte sur une grande feuille, de manière à pouvoir la développer et la détailler à volonté.

J'ai tracé une ligne de temps particulièrement longue pour qu'elle supporte un plus grand nombre de branches et d'actions, et la taille de ma Carte me permet de placer un calendrier annuel à côté. Les branches *Comment* peuvent donc pointer vers les dates pertinentes du calendrier, et je peux alors prévoir du temps pour toute action particulière.

Certaines des actions qui mènent à la réalisation de ma vision quinquennale représentent des étapes si importantes que j'ai dû les diviser en objectifs plus facilement gérables, en créant des mini-Cartes d'objectifs pour chaque action majeure. Ce processus rend vivant le Goal mapping en tant qu'outil de planification d'action, et il aide à atteindre un bon équilibre cérébral.

Comment transformer des actions en objectifs et des objectifs en actions

Il est utile de diviser les actions majeures en Cartes d'objectifs, car cela vous permet de vous concentrer sur les détails de votre Objectif principal. Pour transformer une action (*Comment*) en objectif (*Quoi*), il suffit de répéter les étapes clés du processus de Goal mapping, mais en vous concentrant, cette fois, sur l'action spécifique que vous avez choisie:

- Commencez par écrire l'action choisie comme Objectif principal sur un nouveau modèle d'hémisphère gauche.
- Ensuite, attachez une nouvelle feuille de papier sur le côté de votre Carte et étendez la branche *Comment* de l'action que vous voulez entreprendre jusqu'au centre de la feuille blanche.
- Dessinez un cercle au bout de la branche pour signifier que votre action est maintenant un objectif. Faites-le suffisamment grand pour y placer une image si nécessaire.

- Ensuite, ajoutez la date de réalisation, la date de départ et la ligne de temps (le tronc) qui relie ces dates.
- Écrivez dans les cases de votre modèle d'hémisphère gauche et ajoutez aux branches situées à droite de la ligne de temps les images qui représentent les nouveaux niveaux d'action.
- Remplissez les cases et, aux branches situées à gauche du tronc de votre Carte d'objectifs, ajoutez, lorsque nécessaire, les noms des personnes qui, à ce plus haut degré de précision, vous viennent à l'esprit.

> **Fais la chose suivante.**
> JOHN WANAMAKER

Extension de Carte

Fractales de la réussite

Une «fractale» est un objet de la nature dont la forme fractionnée laisse apparaître, à des échelles d'observation de plus en plus fines, des motifs similaires[2]. Par exemple, la forme d'un arbre est fractale: si l'on casse une branche et qu'on la tient droite, elle devient un mini-arbre – et l'on peut répéter le processus à l'infini. En somme, la fractale est pour la nature le *modèle* de sa façon d'être.

> Rendre compliqué ce qui est simple est banal, mais rendre simple voire simplissime ce qui est compliqué, est créatif.
>
> CHARLES MINGUS

De la même façon, votre Carte d'objectifs est une fractale, à savoir un motif (modèle) répété, créé selon les principes de la réussite. Vous pouvez continuer à ajouter toujours plus de détails à n'importe quel aspect de votre Carte. Certaines personnes choisissent même d'ajouter des «racines» en bas pour désigner ce qu'elles ont déjà accompli. Plus vous ajoutez, plus vous définissez, et plus vous créez.

Cartes d'objectifs spécifiques

Projets, maison, santé et richesse.

Jusqu'ici, nous avons traité de la création d'une Carte d'objectifs «de vie» qui englobe les domaines de première importance dans votre vie. Toutefois, vous pouvez aussi créer des Cartes d'objectifs très spécifiques, correspondant donc à des objectifs précis.

Les Cartes d'objectifs sont utilisées d'une multitude de façons par les gens et les entreprises, et ce, pour toutes sortes d'applications particulières. J'utilise cette technique concernant des objectifs très spécifiques, voire même ponctuels, par exemple écrire des livres, et pour des projets très généraux et de grande envergure, par exemple diriger mon entreprise. Lorsque Sangeeta et moi avons décidé de nous marier, nous avons créé une Carte d'objectifs pour notre mariage, une Carte qui nous a tant aidés à planifier l'événement et qui nous a tant plu que nous l'avons même affichée sur nos cartes d'invitation.

> La persévérance est l'une des cartes maîtresses pour réussir dans la vie, quel que soit notre but.
>
> JOHN D. ROCKEFELLER

2. Cf. *Petit Robert*, 2001.

Après notre mariage, le Goal mapping nous a aidés à trouver et à acquérir la maison que nous habitons aujourd'hui. Notre Carte détaillait les différents aspects et caractéristiques que nous jugions importants concernant notre future maison, et elle détaillait également les actions à entreprendre pour l'acquérir.

La création de la Carte nous a permis d'identifier ce qui nous était essentiel dans une maison, par exemple une cheminée ou une sensation d'espace, et nous a également permis d'équilibrer ces facteurs avec d'importantes considérations pratiques, par exemple de l'espace pour installer notre bureau, ainsi qu'une bonne situation géographique pour faciliter tous nos déplacements. En plus de ses bénéfices conscients et subconscients, la Carte d'objectifs était une excellente façon d'évaluer rapidement les différentes maisons qu'on nous proposait, tout simplement par la confrontation des détails avec notre rêve. Toutefois, la maison que nous occupons aujourd'hui a été trouvée sous le coup d'une intuition, guidée par mon subconscient.

Nous avions encore passé la journée à visiter différentes maisons dans une vaste région, et aucune d'entre elles ne semblait convenir, lorsque Sangeeta a dit, non sans une certaine frustration : « Trouve notre maison. » J'ai ramassé un journal par terre, et elle était là, devant moi, même si on ne l'aurait pas deviné en regardant la photo de l'annonce. C'est que sur le journal, elle avait piètre allure : sombre et décrépite. Mais au fond de moi, je savais instinctivement que c'était la bonne.

En la visitant quelques jours plus tard, certaines parties étaient plutôt moches, et la maison avait été négligée. Toutefois, elle correspondait aux aspects importants de notre Carte d'objectifs, et grâce à celle-ci, nous pouvions apprécier le potentiel de la propriété et la superbe maison qu'elle pourrait devenir avec un peu de rénovations et d'efforts.

> **Le plus grand potentiel du contrôle se situe généralement au niveau de l'action.**
> LOUIS A. ALLEN
>
> **Le but de la vie n'est pas la connaissance, mais l'action.**
> ALDOUS HUXLEY

Notre offre a été acceptée, et nous avons continué à utiliser la Carte d'objectifs pour nous aider à mener à bien les différentes actions à entreprendre pour nous installer, par exemple contracter le prêt, donner les instructions au notaire et engager les déménageurs.

Tout s'est bien déroulé et, quelque temps après notre emménagement, nous avons créé une autre Carte d'objectifs, cette fois pour les agrandissements et les améliorations que nous souhaitions apporter. Cette nouvelle Carte d'« aménagement de la maison » nous a non seulement servi à acquérir une idée claire (consciente) de ce que nous voulions pour notre maison – de manière subconsciente, c'est-à-dire en amont du processus – mais aussi à avoir une vue d'ensemble, à savoir un « plan de travail » des différentes actions à entreprendre pour organiser et coordonner les travaux de rénovation. J'ai trouvé que la Carte était très utile pour décider ce qui devait d'abord être fait, choisir la personne qui en aurait la responsabilité, et pour fixer la date de commencement et d'achèvement des travaux.

La patience et la persévérance ont raison des difficultés et des obstacles.
JOHN QUINCY ADAMS

Si vous devez planifier un projet ou créer une Carte d'objectifs pour quelque chose de spécifique, il suffit de suivre les sept étapes de le Goal mapping, mais cette fois, en concentrant votre attention sur l'objectif ou le projet principal.

Créer une Carte d'objectifs pour un projet

Étape 1 : Rêver

Détendez-vous et imaginez votre projet ou objectif comme s'il était déjà réalisé. *Imaginez* de quoi il aurait l'air, promenez-vous autour, voyez les détails importants, puis notez-les en tant que points clés ou objectifs.

Étape 2 : Ordonner

Identifiez le point clé ou l'objectif qui définit le plus clairement votre projet, et écrivez-le sous forme d'affirmation dans la case Objectif principal d'un modèle de l'hémisphère gauche. Les autres points ou objectifs peuvent alors être notés dans les Sous-objectifs ; ils ajouteront ainsi des détails et des aspects distinctifs à votre projet.

Étape 3 : Dessiner

En suivant l'agencement d'un modèle de l'hémisphère droit, créez des images ou des symboles qui représentent votre Objectif principal et vos Sous-objectifs, tel que pour la Cartographie standard des objectifs (consulter le Chapitre 6 à titre de rappel).

Étape 4 : Pourquoi

Généralement, cette étape vous demande de formuler les raisons de votre motivation personnelle, mais lorsqu'il s'agit de projets spécifiques, on peut s'en servir pour identifier les *avantages* de faire ce travail, qui concernent parfois tout un groupe de gens.

> **La réussite n'est jamais définitive.**
> WINSTON CHURCHILL

Étapes 5, 6 et 7 : Quand, Comment, Qui

Les étapes finales sont les mêmes que pour le Goal mapping standard – il suffit d'écrire de façon détaillée vos *Quand*, *Comment* et *Qui* sur votre modèle d'hémisphère gauche, puis de dessiner les images sur votre Carte d'objectifs de l'hémisphère droit.

Applications personnelles

La série d'étapes du Goal mapping est si intrinsèque à la réussite personnelle qu'on peut l'utiliser pour une multitude d'applications. De plus en plus de spécialistes adoptent la technique et la partagent avec les autres, en l'intégrant à leur pratique particulière.

> **Quand tu donnes des conseils, cherche à aider et non pas à faire plaisir à ton ami.**
> SOLON

Cartographie de la santé

Se souvenir d'être bien.

Ma grande amie et professeur, Bruna Ferrari, dirige de formidables ateliers chez elle, dans les montagnes de Bologne, en Italie. Elle est la première personne qui m'a fait remarquer que le Goal mapping est un excellent outil pour aider les gens à parvenir au bien-être physique, mental et émotionnel.

Désormais, beaucoup de gens utilisent et enseignent la technique de Goal mapping pour diverses exigences de santé et d'exercice. L'approche générale consiste à créer une Carte d'objectifs axée sur l'atteinte de votre plus haut degré de vitalité et d'énergie. Le processus cartographie divers aspects qui vous aideront à atteindre l'objectif central de bien-être, par exemple un régime alimentaire, un programme d'exercices, la conscience de soi, l'acceptation de soi, ainsi que des améliorations au mode de vie en général.

Créer une Carte d'objectifs pour le bien-être

Étape 1: Rêver

Utilisez l'étape *Rêver* du processus de Goal mapping pour avoir une idée claire du bien-être que vous recherchez. Imaginez la personne que vous seriez dans un tel état de bien-être et en quoi votre vie serait différente.

Étape 2: Ordonner

Cette étape vous permettra d'identifier l'aspect le plus important de votre bien-être. Souvent, il s'agira de celui qui vous tient le plus à cœur. Notez-le comme Objectif principal sous forme d'affirmation. (Voir p. 135 pour des conseils sur la marche à suivre.) Vous pouvez noter et dessiner les autres points ou aspects relatifs à votre idée du bien-être en tant que Sous-objectifs.

> Il n'y a pas d'excellence qui puisse être séparée d'une vie saine.
> DAVID STARR JORDAN
>
> Vous voulez être juste ou heureux? Pardonnez-vous et cessez de vous punir.
> LOUISE L. HAY

Étape 3: Dessiner

La prochaine étape est la même que pour une Carte d'objectifs standard. Utilisez des images ou symboles clairs et colorés qui représentent vos objectifs.

Étape 4: Pourquoi

L'étape du *Pourquoi* est particulièrement importante, car l'identification de vos motifs (raisons qui vous motivent) vous aidera à être plus clair envers vous-même et davantage au diapason de votre valeur personnelle, votre vie et la beauté de la vie, ce qui, au final, stimulera votre capacité de guérison et votre bien-être en général.

Étape 5: Quand

Avec un objectif tel que parvenir au bien-être, le *Quand* sera forcément continu. Il est toutefois important d'avoir une Date de départ et une Ligne de temps qui forment le tronc de votre Carte d'objectifs.

> La vie ne nous demande pas de faire le bien, elle demande seulement que nous donnions le meilleur de nous-mêmes à chaque degré d'expérience.
> HAROLD RUOPP

Étape 6 : Comment
Les branches du *Comment* relient le tronc de la Carte d'objectifs aux diverses actions. Il peut s'agir d'activités continues, par exemple suivre un cours, ou alors de jalons à franchir, par exemple atteindre une taille spécifique de vêtement, votre poids idéal, ou un plus haut degré d'énergie ou de mobilité.

Étape 7 : Qui
L'étape finale sert à choisir les noms des personnes dont vous solliciterez l'aide, ou très souvent avec ce type de Carte, à identifier vos traits de caractère qui vous aideront à parvenir au bien-être.

Cartographie de l'abondance

Pour utiliser le Goal mapping afin de générer davantage de richesse et d'abondance (matérielle ou spirituelle), il suffit de suivre le même processus de base, mais, cette fois, vous devrez surtout veiller à générer de l'abondance.

Étape 1 : Rêver
Imaginez-vous vivant dans l'abondance. À quoi cela ressemblerait-il ?

Étape 2 : Ordonner
Quel est l'aspect primordial de votre vision de l'abondance ? Vos revenus ? Votre niveau de vie ? Ou peut-être est-ce votre attitude envers l'argent ? Notez cet aspect en tant qu'Objectif principal et les autres aspects en tant que Sous-objectifs.

> Je n'ai jamais été pauvre, j'ai seulement été fauché. Être pauvre, c'est un état d'esprit. Être fauché, c'est une situation temporaire.
> MIKE TODD

Étape 3 : Dessiner
Créez une Carte d'objectifs à l'aide d'images simples, claires et colorées.

Étape 4: Pourquoi
Déclarez en mots et en images les raisons qui vous motivent le plus fortement à désirer l'abondance.

Étape 5: Quand
Vivre dans l'abondance, à l'instar de la santé, est un objectif continu. Il y aura toutefois une Date de départ, une Ligne de temps et des dates définies pour les niveaux d'abondance et les réalisations financières qui parsèmeront votre parcours.

Étape 6: Comment
Identifiez les stratégies que vous aurez choisies pour arriver à une certaine liberté financière, qu'il s'agisse d'une réduction de dette, d'épargne et d'acquisition de nouvelles capacités.

> Je n'ai pas peur des tempêtes, car j'apprends à manœuvrer mon bateau.
> LOUISA MAY ALCOTT

Étape 7: Qui
Identifiez les personnes (ou les traits de caractère), les croyances et les attitudes à envisager pour générer de l'abondance.

Cartographie des habitudes

Le processus à suivre pour éliminer une mauvaise habitude et la remplacer par une bonne est fondamentalement le même que pour tout autre type d'objectif. Les mêmes principes de base s'appliquent.

Étape 1: Rêver
Imaginez que vous êtes entièrement libéré de votre habitude. Comment vous sentez-vous? Et à quoi ressemble votre comportement?

> L'aptitude, c'est ce qu'on est capable de faire. La motivation détermine ce qu'on fait. L'attitude détermine comment on le fait.
> LOU HOLTZ

Étape 2: Ordonner
Rédigez de façon affirmative, dans la case de votre Objectif principal, que vous vous êtes *affranchi* de votre habitude; notez en tant que Sous-objectifs les nouveaux comportements, habitudes ou changements que votre mode de vie doit adopter.

Étape 3 : Dessiner
Utilisez une imagerie colorée et convaincante.

Étape 4 : Pourquoi
Toute habitude, si destructrice soit-elle, apporte une forme de réconfort émotionnel. Veillez à ce que l'habitude de substitution vous apporte des sentiments tout aussi forts.

Étape 5 : Quand
Choisissez une Date de départ, avec une Ligne de temps d'au moins 21 jours pour que vos actions physiques, vos pensées et vos sentiments deviennent habituels.

Étape 6 : Comment
Énoncez les actions à entreprendre pour vaincre votre habitude, par exemple des cours, des nouvelles routines ou des substituts physiques.

Étape 7 : Qui
Les traits de caractère et les personnes dont vous aurez besoin ; la famille, les amis, voire même un thérapeute ou un coach de vie ?

> C'est en sachant que vous avez le contrôle de votre pensée que vous en verrez le pouvoir.
> MIKHAIL STRABO

Une fois que votre Carte est complétée, observez le rituel du Goal mapping et visualisez votre Carte au moins une fois par jour.

Applications professionnelles

Construire des entreprises avec le Goal mapping.

Le Goal mapping est utilisé dans le monde des affaires depuis des années, et ce, de différentes façons. Parmi les plus courantes, on peut citer :

- Générer et reproduire une vision pour une entreprise, un service ou une équipe.
- Planification de service et communication des objectifs collectifs.

- Aide à la motivation et à la réalisation d'objectifs de rendement.
- Cadre continu pour les Plans de perfectionnement personnel.
- Outil de formation.

On ne change pas les choses en combattant la réalité existante. On doit créer quelque chose qui rend l'ancien modèle obsolète.
BUCKMINSTER FULLER

Cela vaut toujours la peine d'amener autrui à prendre conscience de sa valeur.
MALCOLM FORBES

Ne vous contentez pas d'essayer d'être meilleur que vos contemporains ou vos prédécesseurs. Essayez d'être meilleur que vous-même.
WILLIAM FAULKNER

Le Goal mapping est de plus en plus utilisé par les entreprises pour renouveler la vision de leur avenir. Le plan d'affaires d'une entreprise présente souvent des lacunes à ce niveau-là. Or le Goal mapping s'est avéré si efficace pour aider les entreprises à mener des changements que plusieurs ont adopté la technique en guise de méthodologie principale de fixation des objectifs.

L'équipe des ressources humaines intègre progressivement la technique (du Goal mapping) à la culture d'entreprise, en l'utilisant pour les objectifs collectifs, les conférences et pour le perfectionnement personnel de tout employé.

D'ailleurs, le Goal mapping figure au programme de formation de l'une des plus grandes entreprises de communication du monde. Les nouveaux employés créent une Carte d'objectifs qui comporte ce qu'ils comptent accomplir au sein de l'entreprise, ce qu'ils attendent en retour, les actions qu'ils planifient et les personnes dont ils solliciteront l'aide tout au long du parcours. Leur chef a une copie de leur Carte d'objectifs, qu'il utilise pour leurs évaluations trimestrielles.

Ainsi, la technique de Goal mapping peut être utilisée comme une approche standard de l'accomplissement, un cadre universel de réussite, et les gens prennent généralement l'habitude d'assumer la responsabilité de leurs objectifs.

Applications éducatives

Former des dirigeants avec le Goal mapping.

Peu de sentiments rivalisent avec celui de savoir qu'on est capable d'atteindre ses buts dans la vie et d'influencer sa propre réalité. Apprendre cela très jeune, c'est comme apprendre qu'on peut faire de la magie ; cela remplit notre avenir de merveilleux, et ce cadeau continue à nous servir des années durant, d'une multitude de façons.

Je crois qu'il est primordial d'aider les enfants à comprendre la nature des objectifs et de la réussite. Un enfant, qui ne fait pas le lien entre son comportement et l'impact qu'il peut avoir sur les autres (les *causes* et les *effets*), devient un adulte qui blâme les autres pour ses problèmes et qui ne croit pas en son propre pouvoir.

Beaucoup d'enfants n'apprennent pas cette leçon importante et grandissent en blâmant les autres pour leurs échecs. Adultes, ils se font du mal à eux-mêmes, font du mal aux autres et à toute la génération d'enfants qu'ils mettent au monde.

C'est parce que cette question me préoccupe que j'ai écrit le livre de contes *Sam the Magic Genie* et son livre sœur *The Seven Magic Keys for Success*. J'ai rédigé ces ouvrages dans le but d'enseigner aux enfants et aux adultes les principes de la réussite qui sous-tendent le Goal mapping. (Pour en savoir plus, consultez la section Lectures recommandées.)

> **Un enfant qui est capable de se fixer et d'atteindre un objectif simple deviendra un adulte qui connaîtra la joie de changer le monde.**
> LINDA ET RICHARD EYRE
>
> **Les occasions de vivre de ce qu'on aime faire ne manquent pas ; ce qui manque, c'est la volonté d'y parvenir.**
> WAYNE DYER

Faites le cadeau

Partager avec les autres.

Tandis que notre parcours tire à sa fin, j'aimerais vous demander d'enseigner cette matière. La meilleure façon d'apprendre, c'est de partager l'information avec autrui, à savoir un ami, un membre de votre famille ou un collègue de travail. Je trouve que c'est lorsqu'on explique quelque chose à quelqu'un, en personne, qu'on peut se rendre compte qu'on a réellement intégré cette chose.

Faites le cadeau du Goal mapping à une autre personne, jeune ou âgée, et aidez-la à acquérir le pouvoir magique de concrétiser ses pensées. Inutile d'en traiter tous les aspects, bien qu'il existe un programme de « formation des formateurs » pour les personnes voulant enseigner la Cartographie de façon professionnelle. Contentez-vous de suivre l'approche principale et d'utiliser les sept étapes du Goal mapping. Cet acte de bonté envers une autre personne vous permettra, durant le processus, d'approfondir votre propre niveau de compréhension.

La loi universelle du retour et de l'attraction dicte que, tout comme lorsqu'on jette un galet dans une mare, lorsqu'on fait quelque chose de bien pour autrui, ces ondes s'éloignent de vous puis vous reviennent sous un autre jour, vous apportant alors quelque chose de bon et de positif.

> **Le vrai maître n'est pas celui qui a le plus d'élèves, mais celui qui crée le plus de maîtres. Le vrai dirigeant n'est pas celui qui a le plus de disciples, mais celui qui crée le plus de dirigeants.**
>
> NEALE DONALD WALSCH

> **La bonté en parole amène la confiance, la bonté en pensée amène la profondeur, la bonté en sentiment amène l'amour.**
>
> LAO TSEU

> **Je ne suis pas forcé de gagner, mais je dois être sincère. Je ne suis pas forcé de réussir, mais je dois vivre en accord avec la lumière qui est en moi.**
>
> ABRAHAM LINCOLN

Une dernière pensée

À l'origine, j'ai entrepris mon itinéraire de développement personnel pour changer les *choses* que je n'aimais pas dans ma vie. À l'époque, je n'avais pas tout à fait compris que cela impliquerait d'opérer des changements *en moi*. Chaque nouvelle étape de la vie matérielle que j'ai choisie a exigé et opéré une nouvelle étape en *moi*, c'est-à-dire un nouvel effort pour être à mon meilleur, de façon plus régulière.

Le développement personnel, ou l'évolution du moi vers un autre niveau de réussite, est un processus continu, voire infini. Il n'y a pas de destination finale, simplement une direction et une raison de voyager.

Je me suis souvent écarté du chemin, mais je l'ai toujours retrouvé pour poursuivre mon itinéraire. « Le Goal mapping » et sa technique sœur « Life Mapping » (voir Lectures recommandées) m'ont procuré une aide inestimable.

Utilisez bien vos Cartes d'objectifs. Chérissez-les, et elles vous refléteront, vous et ce que vous jugez important dans votre vie. Honorez votre Carte en lui accordant votre attention et vos actions, et vous vous honorerez en tenant parole.

Que la spirale ascendante de possibilité et d'amour de soi générée par ce processus vous apporte tout ce que vous désirez dans la vie, et transforme vos rêves en réalités merveilleuses et durables.

Le chemin était défoncé et glissant. Mon pied a glissé, a chassé l'autre, mais j'ai recouvré l'équilibre et je me suis dit: « J'ai glissé, je ne suis pas tombé ».
ABRAHAM LINCOLN

Chapitre 9

Votre liste de contrôle de Goal mapping

Votre avenir est l'aventure d'une vie. Cartographiez le meilleur parcours.

Cette section récapitulative a été conçue pour vous guider rapidement et facilement dans les points clés pour créer une nouvelle Carte d'objectifs.

La vie est en changement constant, et votre parcours comportera de nombreuses étapes. Soyez ouvert et continuez à progresser en créant une nouvelle Carte tous les six mois, même si vous n'avez pas encore atteint vos objectifs. Et même si cela vous engage à énoncer à nouveau les mêmes objectifs, créez une nouvelle Carte. Vous en récolterez les bénéfices suivants: de nouvelles perspectives, davantage de clarté et un renforcement du subconscient.

De plus, créez des Cartes d'objectifs spécifiques pour vos projets en cours ou des aspects précis de votre vie.

Il y a un moment dans la vie où l'on se rend compte que si l'on reste immobile, on restera éternellement au même point. On se rend compte que si l'on tombe et qu'on reste à terre, on passe à côté de notre vie.

VICKI SILVERS

Je préfère connaître certaines des questions que toutes les réponses.

JAMES THURBER

Les sept principes de LIFT

Générateurs de solutions et vérificateurs d'objectifs.

Les sept principes et questions ci-dessous vous aideront à trouver des solutions aux défis que vous rencontrez, à identifier clairement vos objectifs et à acquérir de nouvelles perspectives.

Principe 1: Élever le niveau de conscience

Savez-vous déjà ce qu'il vous faut pour trouver une solution? Avez-vous clairement identifié l'endroit où vous voulez aller, et déterminé ce que vous voulez accomplir et ce que vous voulez être?

Principe 2: Développer la conscience de(s) possibilité(s)

Dans votre approche de la situation, de la vie ou de vous-même, adoptez-vous une attitude de «possibilité» ou, au contraire, jugez-vous à partir du passé?

Principe 3: Trouver l'équilibre

La poursuite de votre chemin ou de votre objectif actuel vous apportera-t-elle davantage ou moins d'équilibre dans votre vie? (Faites l'exercice d'équilibre du Chapitre 3 si c'est nécessaire.)

Principe 4: Être en quête d'un but

Quelle sera l'issue de cette solution, de ce changement dans votre vie ou de ce développement personnel? Vous rapprochera-t-elle de votre but, ou vous en éloignera-t-elle?

Principe 5: Devenir totalement «habile à répondre», donc à trouver des solutions

Choisissez-vous consciemment la réponse aux questions que soulèvent vos défis à relever, votre vie et votre *Moi*? Ou êtes-vous plutôt réactif?

Quand on change, tout semble changer.
HENRI AMIEL

La concentration, dans sa forme la plus pure, signifie d'être capable de concentrer son esprit sur une seule chose.
KOMAR

Principe 6: Maintenir une concentration positive
Êtes-vous davantage concentré sur la solution ou sur le problème? Sur ce que vous voulez ou sur ce que vous redoutez? Sur votre *Moi haut* ou sur votre *Moi bas*?

Principe 7: Engager soi-même et les autres pour évoluer: Consulter, se questionner et s'investir
Qui pourrait vous aider à trouver une solution ou vous conseiller quant à votre parcours? Faut-il que vous recherchiez la réponse en vous?

Les sept étapes du Goal mapping

Un système simple pour une réussite durable.

Assurez-vous de suivre les sept étapes du processus de création de votre Carte d'objectifs, même si vous pensez que vous savez déjà ce que vous voulez. Je vous recommande également de télécharger les modèles de Goal mapping à partir du site www.goalmapping.com, ou de photocopier ceux qui se trouvent en annexe.

Étape 1: Rêver – Que voulez-vous?
Détendez-vous, fermez les yeux, et imaginez que vous avez un génie à vos ordres qui vous aidera à réaliser tous vos vœux. Explorez votre journée idéale, et voyez votre vie et votre *Moi* exactement comme vous le désirez.

Étape 2: Ordonner – Quelle est la priorité?
Notez toutes vos idées, perspectives et objectifs. Identifiez votre Objectif principal, soit celui qui vous aidera à atteindre tous les autres objectifs. Inscrivez-le dans la case centrale en le rédigeant *au présent*, *à l'affirmatif* et *de façon personnelle*, et faites de même pour vos Sous-objectifs.

> Si vous voulez connaître le sentier qui mène au sommet de la montagne, demandez à celui qui le parcourt régulièrement.
> ZENRIN
>
> La meilleure façon d'ajouter du pouvoir à sa vie, c'est de concentrer ses énergies sur un ensemble limité d'objectifs.
> NIDO QUBEIN

Étape 3: Dessiner – À quoi cela ressemble-t-il?

Placez côte à côte vos modèles d'hémisphères gauche et droit, et tracez des images et des symboles qui représentent vos objectifs, en utilisant autant de couleur(s) que possible.

Étape 4: Pourquoi – Pourquoi le voulez-vous?

Quels bénéfices imaginez-vous à cette réalisation? Quelles sont vos plus fortes raisons de réussir? Que ressentez-vous lorsque vous vous imaginez en train de vivre votre rêve? Reproduisez ces sentiments en mots et en images sur vos modèles.

Étape 5: Quand – Quand le voulez-vous?

En combien de temps comptez-vous réaliser vos projets et objectifs? La période de temps allouée est-elle suffisante du point de vue de la logistique? Dans votre for intérieur, la date de réalisation vous semble-t-elle propice?

Étape 6: Comment – Comment allez-vous y parvenir?

Quelles seront les actions à entreprendre pour ce projet, cet objectif ou ce changement? Aurez-vous besoin d'acquérir de nouvelles connaissances, compétences ou habitudes? Exprimez-les en mots et en images.

Étape 7: Qui – De l'aide de qui aurez-vous besoin?

Qui devra endosser la responsabilité des principales actions à entreprendre pour le projet ou objectif? Qui devrez-*vous* être, pour vous rendre au bout du parcours? Consignez les noms et les traits de caractère en mots et en images.

Vivre votre Carte d'objectifs

Observer le rituel du Goal mapping.

Signer

Prenez et renouvelez un engagement envers vous-même et les autres.

Voir

Visualisez votre Carte d'objectifs chaque jour, par exemple en vous levant le matin.

Dire

Énoncez vos objectifs à voix haute sous forme d'affirmations tout en les visualisant.

Sentir

Sentez ce que vous ressentiriez si vous concrétisiez vos objectifs et vos rêves.

Croire

Répétez ce processus quotidiennement pour forger votre foi en vous.

> **Tes actes parlent si fort que je n'entends pas ce que tu dis.**
>
> RALPH WALDO EMERSON

Annexes

Modèle de Carte d'objectifs de l'hémisphère gauche

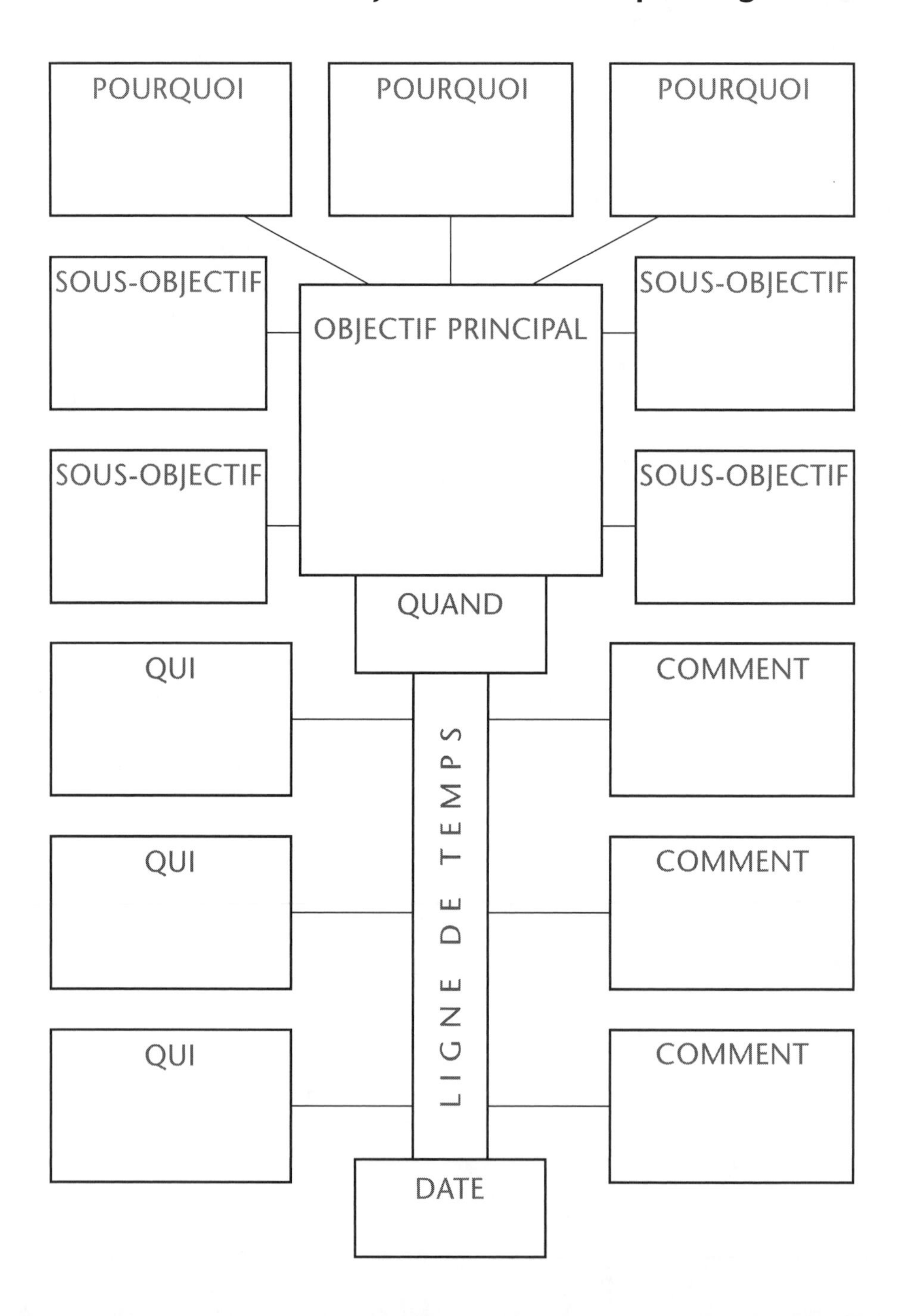

Modèle de Carte d'objectifs de l'hémisphère droit

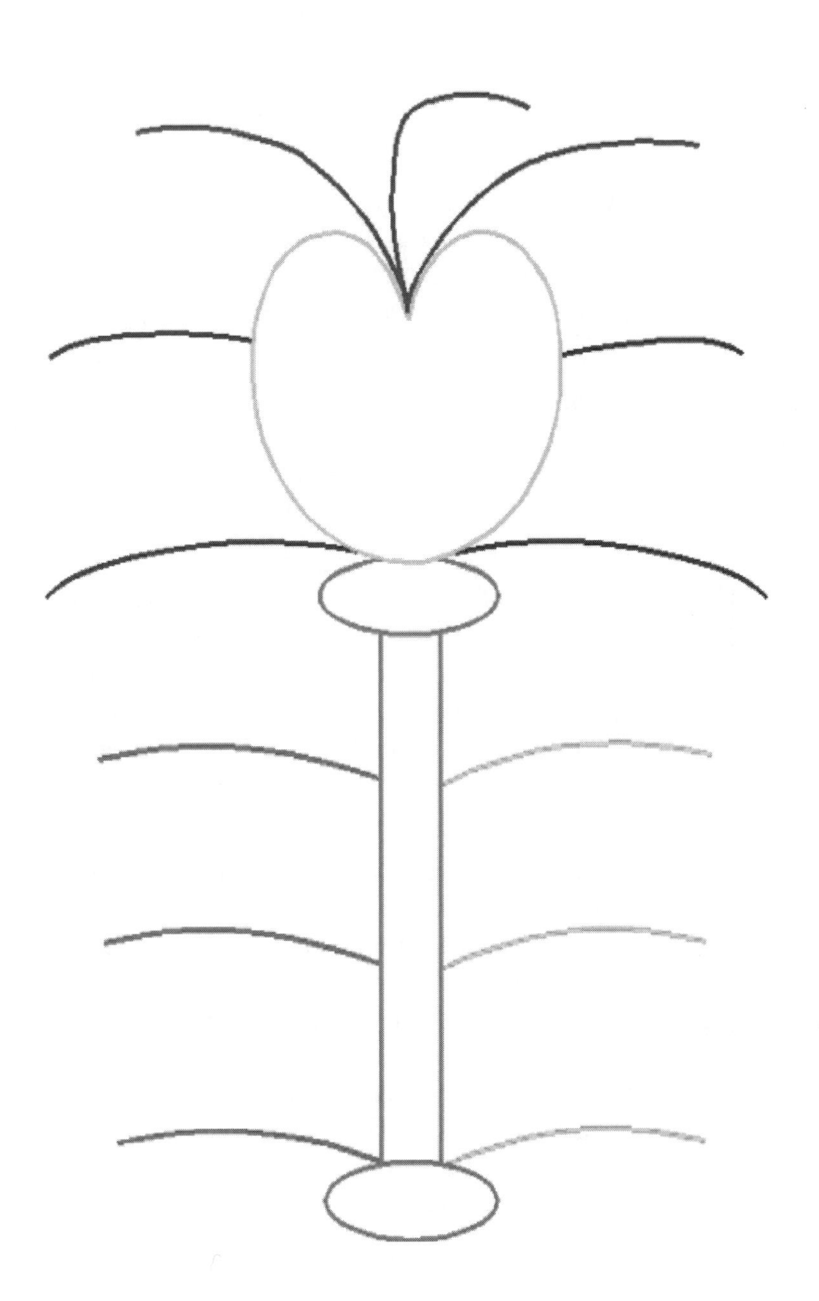

Lectures recommandées

Du même auteur

Sam the Magic Genie – Brian Mayne (Vermilion, 2003)
L'histoire d'un jeune garçon qui, une nuit, reçoit la visite de Sam le génie, qui représente son subconscient. Ensemble, ils explorent le monde des *pensées* et étudient la manière de les transformer en *sentiments* et en *choses*.

The Seven Magical Keys for Success – Brian Mayne. Publié par LIFT International. ISBN 0-9533161-4-9.
Un manuel d'accompagnement pour les professeurs et les parents qui enseignent les sept principes clés de la réussite ainsi que la technique de Goal mapping, dans un langage simple, « de génie », et accessible aux enfants.

The Seven Magical Keys for Success est idéal pour les enfants de 10 ans et plus, même si certains professeurs ont enseigné les notions de base à des enfants de six ans. La matière peut être enseignée sous forme de courtes leçons présentant une vue d'ensemble ou d'un cours complet étalé sur neuf semaines, disponible pour les enseignants et les parents.

Life Mapping – Brian et Sangeeta Mayne (Vermilion, 2002).
« Cartographie de la vie » est la technique sœur de Goal mapping et suit les mêmes principes de base des mots de l'hémisphère gauche et des images de l'hémisphère droit. Mais, plutôt que de se concentrer sur l'accomplissement de « choses », Life Mapping est conçue pour vous aider à développer certaines « qualités de caractère ».

Ensemble, les deux techniques traitent du principe fondamental de la réussite : *Être/Faire/Obtenir* :

Être à votre meilleur dans votre *Moi*, ce qui vous conduira naturellement à *Faire* un meilleur travail et à *Obtenir* de meilleurs résultats.

Ouvrages à consulter

Buzan, Tony, *Mind Map : Dessine-moi l'intelligence*, Éditions d'Organisation, Paris, 2003.

Cameron, Julia, *Libérez votre créativité*, Dangles, 1999.

Coelho, Paulo, *L'Alchimiste*, Anne Carrière, 1994.

Covey, Stephen, *Les 7 habitudes de ceux qui réalisent tout ce qu'ils entreprennent*, Éditions générales First, 2005.

Dyer, Wayne, *Il faut le croire pour le voir*, Un Monde différent, 1998.

Frankl, Victor, *Découvrir un sens à sa vie*, Éditions de l'Homme, 1988.

Hoff, Benjamin, *Le Tao de Pooh*, Le Mail, 1990.

Jeffers, Susan, *Tremblez mais osez !*, Marabout, 2001.

Johnson, Spencer, *Qui a piqué mon fromage ?*, Michel Lafon, 2000.

McGregor Ross, Hugh, *The Gospel of Thomas*, Watkins, 2002.

Maltz, Maxwell, *Psychocybernétique*, Godefroy, 1979.

Oakley, Ed et Doug Krug, *Enlightened leadership*, Simon & Schuster, 1994.

Rose, Colin, *Accelerated Learning*, Accelerated Learning Systems Ltd, 1985.

Walsch, Neale Donald, *Conversations avec Dieu*, J'ai lu aventure secrète, 2003.

À propos de l'auteur

Brian Mayne est un orateur, un auteur et un formateur stimulant, présent à l'échelle internationale. Son enseignement de *l'auto-amélioration* – par la pratique de la capacité de réaction personnelle et de la motivation guidée par un but bien déterminé – s'est avéré très populaire dans le monde des affaires et auprès des nombreux individus qui ont assisté à ses conférences.

Brian Mayne revient de loin. En effet, d'origine gitane, il ne savait ni lire ni écrire correctement et il est devenu propriétaire d'une boîte de nuit qui a fait faillite, avec une dette de près de un million de livres sterling. Néanmoins, Brian a élaboré et utilisé des techniques simples, de son cru, pour se transformer intérieurement et ainsi reconstruire sa vie. Aujourd'hui président de LIFT International, Brian œuvre dans le domaine du développement personnel et de la formation du personnel, et ce, depuis onze ans. Il est en passe de devenir l'un des personnages les plus en vue dans le domaine de l'*autoamélioration*.